Michael Moriarty

Paris, 1988

LOUIS-JEAN CALVET

ROLAND BARTHES

**un regard politique
sur le signe**

225

PETITE BIBLIOTHÈQUE PAYOT
106, Boulevard Saint-Germain, Paris (6e)

PRÉFACE

Commençons par ce que ce petit livre n'est pas : une introduction à Roland Barthes, un guide de lecture de son œuvre, voire un résumé. Du moins ne l'ai-je pas voulu ainsi, laissant au lecteur le soin de se reporter aux textes. Et ma seule réussite en la matière serait que la lecture de ce texte-ci incite à la lecture de ceux-là. Le texte barthien (1) est en effet trop *scriptible* pour qu'on puisse un instant imaginer la possibilité de s'introduire en médiateur entre lui et le lecteur.

J'ai plutôt essayé de cerner, à propos de Barthes (ce qui n'est pas un hasard : lui seul pouvait nous le permettre), deux types de problèmes qui n'en font peut-être qu'un. Tout d'abord, quel est le statut socio-politique du signe, et comment utiliser les signes que la société nous lègue (ou nous impose) pour la critiquer : pouvons-nous détruire le loup en se logeant confortablement dans sa gueule, demande quelque part Roland Barthes. D'autre part, quel est le lien entre linguistique et sémiologie ? Deux

(1) Oui, la composition de l'adjectif *barthien* est incorrecte : les puristes préféreront *barthésien*. Mais, malgré l'évident et angoissant danger de me voir rappeler à l'ordre, je l'ai choisi plutôt que barthésien dont la forme phonétique ne réjouissait pas mon oreille...

problèmes qui n'en font peut-être qu'un car le refus de la sémiologie de Barthes par une certaine linguistique, tout masqué de scientisme qu'il soit, n'est jamais (j'espère du moins l'avoir montré) qu'une position au bout du compte politique. Et le sous-titre de ce livre, *un regard politique sur le signe,* mériterait en fait d'être étendu :

> signe et politique
> signe politique
> politique du signe
> linguistique et politique
> linguistique politique
> politique de la linguistique
> sémiologie et politique
> etc.

Bien sûr, l'entreprise est sans doute à la limite du détournement de sens, mais je crois qu'il nous faut prendre ce risque si nous voulons briser cette frontière soigneusement entretenue par des siècles de domination idéologique entre le scientifique et le militant, le laboratoire et la rue, l'université et la politique. C'est pourquoi l'œuvre de Barthes, par delà les incertitudes scientifiques qu'il n'est pas question de cacher, me paraît exemplaire à travers ses défauts et ses balbutiements temporaires : elle est toute tournée vers le refus de ces fausses dichotomies.

Ce pourquoi elle a paru scandaleuse à certains.

Ce pourquoi il me semble de toute première importance de prolonger et de perpétuer ce scandale.

L.-J. C.
mai 1973.

TABLE DES MATIÈRES

Les citations des textes de Roland Barthes renvoient aux éditions suivantes :

1. *Le Degré zéro de l'écriture,* suivi de *Éléments de sémiologie,* édition de poche, collection Médiations, 1965.
2. *Michelet par lui-même,* Le Seuil, 1954.
3. *Mythologies,* Le Seuil, 1957.
4. *Sur Racine,* Le Seuil, 1963.
5. *Essais critiques,* Le Seuil, 1964.
6. *Critique et vérité,* Le Seuil, 1966.
7. *Système de la mode,* Le Seuil, 1967.
8. *Éléments de sémiologie*: voir 1.
9. *L'empire des signes,* Skira, 1970.
10. *S/Z,* Le Seuil, 1970.
11. *Sade, Fourier, Loyola,* Le Seuil, 1971.
12. *Le plaisir du texte,* Le Seuil, 1973.

POUR UNE DIACHRONIE
DE ROLAND BARTHES

1

On parle fréquemment de Roland Barthes à travers un ouvrage (*Élément de sémiologie*), parfois deux (*Mythologies*) et cette concentration abusive est un indice : la seconde partie des *Mythologies* (« le mythe aujourd'hui ») et les *Éléments de sémiologie* représentent en effet deux textes théoriques auxquels il est relativement aisé de se raccrocher. Mais ce traitement raccourci infligé à son œuvre indique aussi peut-être une grande incompréhension : séparer d'une longue suite de *descriptions* quelques textes *théoriques*, n'est-ce pas ignorer le lien intime entre théorie et pratique, l'enrichissement de l'une par l'autre, leur complémentarité ? Ce rapport était d'autant plus évident dans *Mythologies* que la part théorique de l'ouvrage, « le mythe aujourd'hui », était formellement placée *à la fin* du volume et explicitement signalée comme ayant été écrite *après*. Pour le reste, l'ouvrage était constitué d'articles publiés au gré de l'actualité, comme d'ailleurs plus tard les *Essais critiques*. Ceci n'est pas de l'anecdote, car la constitution de ces deux ouvrages est révélatrice de la démarche de Barthes qui semble toujours entre un combat et la recherche de sa théorisation, entre une intuition et sa formalisation. Ce qui caractérise avant tout son œuvre, c'est sans doute sa mobilité, sa constante évolution, et cette mobilité est à ce point constitutive de l'œuvre qu'il me paraît indispensable de l'intégrer à sa description. Du catch à la mode vestimentaire, de Camus à Loyola, du Japon aux Pâtes Panzani, les centres d'intérêt successifs de Barthes paraissent d'une impressionnante hétérogénéité. Du *Degré zéro de l'écriture* aux *Mythologies* et de celles-ci aux *Éléments de sémiologie*, sa méthode semble également en constant changement. On tentera au contraire de montrer ici l'unité profonde, d'intérêt et de méthode, qui caractérise Barthes et qui pourrait se ramener à un *projet*. Définissant en 1971 sa situation d'après-guerre, Barthes se présentait comme « marxiste et sartrien », et il précisait que son but était alors de « marxiser l'engagement sartrien, ou tout au moins, et c'était peut-être là une insuffisance, de lui donner une justification marxiste : double projet qui est assez visible dans le *Degré zéro de l'écriture* (1). Ses références changeront au cours des ans (après Sartre, Brecht par exemple), son apparat heuristique s'étoffera (Hjelmslev puis Saussure...), mais son intention restera fondamentalement la même. En 1957, préfaçant *Mythologies*, il insistait sur l'agaçant tour de passe-passe qui tend à présenter comme *naturel* ce qui est *historique* et signalait sans ambiguïté sa cible :

(1) *Tel Quel*, n° 47, page 92.

le « ce-qui-va-de-soi », les « fausses évidences » (1).
Près de dix ans plus tard, répondant dans *Critique
et vérité* aux attaques de R. Picard, il exprime le
même agacement et définit les mêmes cibles. Le
naturel, c'est ici le « vraisemblable critique » :

> « Aristote a établi la technique de la parole feinte
> sur l'existence d'un certain *vraisemblable*, déposé dans
> l'esprit des hommes par la tradition, les Sages, la majo-
> rité, l'opinion courante, etc. Le vraisemblable, c'est ce
> qui, dans une œuvre ou un discours, ne contredit aucune
> de ces autorités (2). »

Cette soumission à l'idéologie dominante dont
Barthes accuse une certaine critique se manifeste
aussi dans son athéorisme :

> « Le vraisemblable ne s'exprime guère dans des
> déclarations de principe. Étant *ce qui va de soi*, il reste
> en deçà de toute méthode, puisque la méthode est au
> contraire l'acte de doute par lequel on s'interroge sur
> le hasard ou la nature (3). »

Les fausses évidences, le ce-qui-va-de-soi, le
vraisemblable, tous ces masques tendent au même
but : déshistoriciser l'histoire, prétendre à l'universalité du contingent, tant il est vrai qu'une
idéologie au pouvoir ne peut pas reconnaître son
caractère historique sans s'affirmer comme ce
qu'elle est. La revendication de l'universel, de
l'indiscutable, de l'évident, du naturel, est indissociablement liée à l'oppression idéologique. On

---

(1) *Mythologies*, page 7.
. (2) *Critique et vérité*, page 14.
(3) *Id.*, page 15.

n'a pas le droit, sous peine d'être classé comme a-normal ou comme mauvais esprit, de montrer l'histoire sous la prétendue nature, ou de montrer la signification derrière la communication. Ses masques, l'idéologie attend de nous que nous les lui laissions.

C'est donc cette chasse aux fausses évidences qui constitue pour nous la continuité de Barthes, cette volonté de dévoiler, ici et là, l'engagement historique (c'est-à-dire politique) de tout discours, que le langage apparaisse comme son matériau évident (la littérature) ou qu'on ne le trouve que dessous, en grattant la croûte (le vêtement, l'affiche, etc.). Mais cette continuité se manifeste tout autant dans les procès qu'on lui a dressés. Lorsque R. Picard, dans *Nouvelle critique ou nouvelle imposture*, s'attaque violemment à Barthes, il considère son œuvre comme dangereuse parce qu'amorale, anormale, asociale... Bref, pour Picard, Barthes ne respecte pas le vraisemblable et ne joue donc pas le jeu de la critique.

G. Mounin paraît tout d'abord attaquer sur un autre front. Ce n'est qu'après avoir rendu hommage à « la générosité de ses combats, le côté maintes fois stimulant de ses propositions, sa sensibilité de poseur de problèmes vivants, de découvreur de domaines ou de points de vue prometteurs » (1), qu'il entreprend de démontrer que Barthes est théoriquement nul (2). Mais ces deux attaques sont cependant semblables, les deux critiques

(1) *Introduction à la sémiologie*, page 189.
(2) En n'utilisant, justement, que deux textes de Barthes : *Mythologies* et les *Éléments de sémiologie*.

14

étant touchés à la même plaie. Picard comme Mounin défendent en effet la même maison. Picard, bien sûr, est plus manifeste, il défend l'ordre établi de la critique littéraire avec une sauvagerie suffisante pour que son choix apparaisse clairement. Pour Mounin, les choses sont plus subtiles. Il semble tout d'abord ne défendre que la science, reprochant à Barthes de tout mélanger, de tout confondre, d'emprunter à tort et à travers à la linguistique ses concepts et ses méthodes. Mais sous ce discours à volonté scientifique perce le même farouche attachement à une certaine idéologie. Il nous faut cependant ici, pour mieux éclairer ce point, faire par parenthèse une petite incursion dans le domaine linguistique.

Une bonne partie de la linguistique française vit sur l'hypothèse de la communication : là où R. Jakobson propose six fonctions (1), André Martinet n'en retient qu'une, ou plutôt en présente une comme fondamentale :

« La fonction essentielle de cet instrument qu'est une langue est celle de communication... On se gardera cependant d'oublier que le langage exerce d'autres fonctions... C'est bien la communication... qu'il faut retenir comme la fonction centrale de cet instrument qu'est la langue (2). »

Cette insistance mise sur la communication est d'autant plus remarquable qu'elle constitue un apport récent : ni Saussure ni Bloomfield n'en parlent, alors qu'elle devient subitement le critère

(1) *Essais de linguistique générale*, pages 210-220.
(2) *Éléments de linguistique générale*, page 13.

fondamental permettant de faire le départ entre le linguistique et le non-linguistique (1).

Georges Mounin par exemple, dans son *Introduction à la sémiologie*, insiste fortement sur cette différence entre « sémiologie de la communication et sémiologie de la signification » (p. 11), et entreprend une hiérarchisation fondée sur le postulat que la linguistique, science achevée, devrait servir de modèle à la sémiologie : « Du côté de ce qu'on pourrait nommer la sémiologie des linguistes, tous les post-saussuriens, Troubetzkoy, Buyssens, Martinet, Prieto, ont accentué fortement le caractère du langage comme *système de communication* » (p. 11) et plus loin, citant Prieto : « La sémiologie de la signification devra trouver dans la sémiologie de la communication un modèle beaucoup plus approprié que celui que lui fournit la linguistique » (p. 13).

Qu'est-ce donc que cette *communication* qui paraît ainsi au centre des exclusives et des exclusions de la linguistique contemporaine ? Elle se définit par une *intention* et un *moyen* : l'intention de faire passer un message en utilisant un moyen que le destinataire du message reconnaît comme moyen de communication. C'est ainsi que Buyssens pourra écrire que la communication est l'ensemble des « moyens utilisés pour influencer autrui et *reconnus comme tels par celui qu'on veut influencer* », et que Prieto fera la grande distinction entre les concepts de *Signal* et d'*Indice*, distinction iso-

(1) Mounin, dans son *Introduction à la sémiologie*, page 11, affirme que ce point était « implicite » chez Saussure.

morphe de celle qui oppose la communication à la signification. On voit donc que la démarche consiste, comme il est naturel, à se donner un critère de pertinence (la communication) et à décider ensuite de ce qui est linguistique et de ce qui ne l'est pas en fonction de ce critère. Il n'y a là rien à redire, du moins si l'on admet la notion de communication sur laquelle nous reviendrons. Puis l'on passe à la sémiologie, du moins à cette « sémiologie des linguistes » dont parle naïvement Mounin, en transportant le même critère de pertinence, ce qui implique bien sûr deux possibilités : ou bien tous les systèmes de signes, comme la langue, ont pour fonction principale la communication, ou bien les systèmes qui ont une autre fonction sont exclus du domaine d'étude dans un premier temps (faisons d'abord une sémiologie de la communication, nous verrons ensuite pour ce qui est de la signification, dit en substance Prieto). Et cet impérialisme de la linguistique sur la sémiologie intervient curieusement au moment où l'on refuse l'idée que la sémiologie puisse être une partie de la linguistique (comme le proposait, nous le verrons, R. Barthes) : excluant la sémiologie de son sein, la linguistique prétend cependant lui imposer ses catégories, même si elle déclare le contraire. C'est, encore une fois, au nom de la communication que se pratique ici la hiérarchisation et l'exclusion, c'est-à-dire au nom d'un principe dont le bien-fondé est déjà discutable, nous allons le voir, pour ce qui concerne la langue.

Cette insistance mise sur la communication relève

en effet d'une facilité, d'un truquage et d'un oubli.

La *facilité*, tout d'abord. Les sciences dites humaines ont ceci de caractéristique que les objets qu'elles décrivent ne comportent pas en eux-mêmes leurs critères de pertinence : ce n'est pas dans la langue, par exemple, que la linguistique trouve les critères qui lui permettent de la décrire, de la segmenter en unités, de hiérarchiser ces unités. Du même coup la science invente son objet, le constitue en même temps qu'elle le décrit. Cette situation apparemment inévitable a cependant deux conséquences importantes. Tout d'abord, les critères de pertinence doivent toujours pouvoir être mis en question : ils n'existent que dans un type d'approche, et leur utilité ou leur adéquation peuvent toujours être mises en doute pour une autre approche. D'autre part, une science dite humaine est toujours suspecte car ces critères qu'elle trouve hors de son objet d'étude ne procèdent pas de la génération spontanée mais bien des superstructures idéologiques qui déterminent l'époque. Lorsque dans les années trente se constitue, autour de l'école de Prague, la phonologie, on découvre avec le concept d'opposition distinctive (hérité bien sûr de Saussure pour qui l'unité linguistique était et n'était que « différentielle ») l'intérêt du *recours au sens*. « Les oppositions phoniques qui dans la langue en question peuvent différencier les significations intellectuelles de deux mots, nous les nommerons des *oppositions phonologiques*... Par contre les oppositions qui ne possèdent pas cette faculté seront dites *non pertinentes au point de vue phonologique*, ou *non distinctives* », écrit Troubetzkoy (1). Plus tard, à la fin des années quarante, on découvre chez Shannon et Weaver la théorie mathématique de l'information. La conjonction de ces deux courants a produit chez Martinet le concept d'« économie linguistique » qui s'est révélé fécond en diachronie (voir A. Martinet, *Économie des changements phonétiques*) et a largement déterminé par ailleurs cette insistance mise sur la communication. Mais, et c'est là où apparaît la facilité, la notion de communication ou d'information (inséparable du critère de sens), fructueuse pour la phonologie, ne l'est pas nécessairement pour les autres voies d'approche des phénomènes linguistiques. Surtout, elle les limite considérablement, de façon dogmatique, car si l'on voit bien l'apport que représente l'apparition de la notion de communication, on voit mal pourquoi il nous faudrait n'en rester qu'à elle. Cette facilité donc, ou ce manque d'imagination, a consisté (malgré soi sans doute) à occulter l'objet langue, à l'enfouir sous un des critères possibles de sa description. Le modèle phonologique n'est pas nécessairement le seul, mais tout se passe, en particulier dans la critique que Georges Mounin adresse à Roland Barthes, comme s'il en allait à l'évidence ainsi.

C'est là qu'apparaît le *truquage*, qu'il nous faut mettre en relation avec ce que nous disions plus haut du caractère nécessairement idéologique de

(1) Troubetzkoy, *Principes de phonologie*, page 33.

toute science dite humaine. Puisant ses critères de pertinence hors de son objet, la linguistique (au même titre que la sociologie, la psychologie, etc.) est toujours suspecte de compromission idéologique, elle n'est jamais neutre et ne peut pas l'être. Mais elle peut être consciemment partiale et choisir son camp. Déjà, l'appellation de *sciences humaines* vient corroborer ce soupçon : si, comme s'accordent à le dire tous les linguistes ou presque, la langue est un instrument *social*, la linguistique est une science *sociale*. Mais cette affirmation entraîne une série de conséquences méthodologiques. Science sociale, la linguistique se devrait d'étudier en priorité le statut de la langue dans la société ; son rôle dans la lutte des classes, ses déterminations idéologiques. Elle se contente d'étudier un système clos, comme on étudie une mécanique, encore une fois parce que le modèle phonologique pèse lourdement sur elle. Et l'impasse actuelle de la sémantique est bien la preuve que ce modèle est inadéquat. Mais du même coup la linguistique apparaît comme une entreprise de blanchissage idéologique de la langue : instrument de communication, la langue sera un « instrument » neutre, hors du champ des rapports sociaux et politiques, hors du champ des conflits de classes. Il n'y a pas d'instrument de classe, mais tout au plus une utilisation de classe de l'instrument : pour que ce sophisme puisse être recevable, il faut bien entendu que la langue dise tout, que le message ne laisse rien dans l'ombre. D'où la séparation opérée entre communication et signification. Il y a l'une ou l'autre, mais jamais les deux à la fois, telle est la doctrine de la linguistique structurale.

Et ceci nous mène à l'*oubli*. Car la linguistique, pour opposer communication à signification, insiste sur la *volonté*, l'*intention* de communiquer qui, dans ce processus, caractériserait l'émetteur et le récepteur : on n'entre pas à son insu dans le processus de communication. L'oubli est ici celui de Freud : si l'opposition entre sens apparent et sens latent est recevable, et il semble difficile de le nier, il est impossible de refuser la présence de cette dualité dans la langue en particulier et dans les systèmes sémiologiques en général. Mounin qualifie volontiers l'œuvre de Barthes de « psychanalyse sociale » (1), mais il se refuse à considérer que la langue et les systèmes sémiologiques puissent être justiciables d'une telle approche : le postulat de la communication le lui interdit.

Il y a donc là une entreprise de blanchissage idéologique de la langue, comme nous l'écrivions plus haut, qui repose sur le refus de la coexistence au même moment du dit et du non-dit, du dénoté et du connoté. C'est pourquoi les critiques de Mounin relèvent au bout du compte de la même réaction que celles de Picard. Car Barthes met les

(1) *Introduction à la sémiologie*, page 197.

pieds dans le plat dès son *Degré zéro de l'écriture*, et Mounin, lui reprochant de ne faire que de la critique, ne voit pas qu'il défend en fait une « science » qui n'est finalement qu'un discours idéologique, une justification, une certaine vision (idéologique) de la science (1).

Car tout le projet de Barthes repose précisément sur cette coexistence de l'explicite et de l'implicite, du dénoté et du connoté, au même point d'un processus de communication-signification. La chasse aux fausses évidences, au ce-qui-va-de-soi que nous avons déjà soulignée ne signifie rien d'autre, mais ce rien d'autre-là est une contestation radicale de la linguistique structurale traditionnelle et du type de sémiologie qui en découle.

Continuité dans le projet, dans la recherche, dans les oppositions rencontrées : il semble donc bien qu'il y ait une linéarité barthienne que nous allons tenter de suivre sur le mode historique, en mettant en relief les pauses (celles de Barthes),

----

(1) Il faut cependant préciser, à la décharge de Mounin, que cette compromission idéologique tient plus de l'inconscience que du choix. Dans une postface à un récent ouvrage d'André-Jean Arnaud, *Essai d'analyse structurale du code civil français* (Paris, 1973), après s'être attardé à glaner ici et là les emplois défectueux des termes *langage* et *code*, il écrit en effet : « Chercheurs barthésiens et lévi-straussiens semblent s'irriter parfois de cette obstination de certains linguistes à rejeter l'emploi des modèles linguistiques et sémiologiques là où le mot *communication* n'est qu'un mot de passe qui couvre des phénomènes encore mal connus. Souvent même, ils suggèrent qu'il s'agit de l'attitude tatillonne et pédante de gardiens bornés d'un domaine réservé » (p. 175). On pourrait difficilement imaginer une telle inconscience des problèmes en jeu...

les moments où lui-même s'arrête dans sa course pour se théoriser, c'est-à-dire pour évaluer sa stratégie et la corriger. C'est donc une diachronie explicative de certaines synchronies que nous voudrions esquisser.

2

LE DEGRÉ ZÉRO :
ENTRE MARX ET SARTRE

« Aujourd'hui, les choses en sont venues à ce point que l'on a vu des écrivains, blâmés ou punis parce qu'ils ont loué leur plume aux Allemands, faire montre d'un étonnement douloureux. Eh quoi? disent-ils, ça engage donc, ce qu'on écrit? »

(Jean-Paul Sartre.)

La situation de Roland Barthes après la guerre est sans doute constitutive de son projet. La guerre, il l'a vécue de loin, autant dire pas vécue, enfermé qu'il était dans un sanatorium dont il ne sortira qu'en 1946. Et une certaine frustration politique en résulte peut-être, un manque d'engagement, qui va le pousser à choisir, ou du moins participe à ce choix. En outre, le séjour en sanatorium lui a apporté, par ses lectures et par les conversations qu'il a eues avec un camarade, une certaine connaissance du marxisme : il lit Marx, à qui s'ajoute, à ses propres dires, « un peu de Lénine, un peu de Trotsky, tout le Sartre qu'on pouvait connaître à l'époque » (1). Et lui qui, à la veille de la guerre,

(1) *Tel Quel*, n° 47, page 93.

s'occupait encore activement du groupe de théâtre antique de la Sorbonne qu'il avait fondé, va se réinsérer dans la littérature sous ce double patronage de Marx et de Sartre. Le théâtre, il n'y reviendra que plus tard (cf. chap. 5), dix ans après, pour et avec Brecht. C'est la littérature qui va maintenant l'absorber, non pas en tant que producteur (encore que l'activité qui consiste à parler du langage puisse parfois être déjà de la littérature), mais en tant que consommateur critique.

« Sparte, Rome, Athènes... J'en plaisantais au collège et je trouvais que c'était inutile, bête, les républiques anciennes, grecques, romaines!... Lycurgue, Solon, Fabricius, et tous les sages, et tous les consuls... Je vois à quoi cela sert maintenant. On ne peut pas écrire pour les journaux républicains sans connaître à fond son Plutarque. Est-ce qu'il y a une seule page des nôtres, de nos écrivains jacobins, où il ne soit pas question d'Annibal, de Fabricius, d'Aristogiton, de Coriolan, de Cléon, des Gracques ? On ne peut pas s'en passer. Ce serait une impolitesse à faire aux hommes de 93 que de ne pas leur dire qu'ils ressemblent aux grands hommes de nos livres de classe. » Ce passage n'est pas de Barthes mais de Jules Vallès. C'est cependant du même type de remarque qu'il partira, de cette conscience qu'il y a un « au-delà du langage qui est à la fois l'Histoire et le parti qu'on y prend ». Et c'est d'une réflexion sur le point que naîtra *Le degré zéro de l'écriture*. Posant ainsi son matériau d'étude (le langage), Barthes entreprend d'abord de faire la typologie de ses composantes. L'acte d'écrire, la production littéraire, se trouve pour lui à l'intersection de deux axes : celui de la langue (1) et celui du style. La langue, il la définit comme ce que nous appellerions aujourd'hui la norme : un ensemble de prescriptions, un code formalisé. Le style, c'est la marque de l'homme, « du corps et du passé de l'écrivain » (2).

Horizontalité de la langue, verticalité du style, l'art d'écrire se trouve à ce confluent, se glisse entre deux imposés, deux forces aveugles. L'écriture sera donc le lieu du choix, le moment de liberté, et par conséquent « un acte de solidarité historique » (3).

Cette écriture a une histoire, l'histoire de ses rapports à l'Histoire, et c'est en quelque sorte les prolégomènes à cette approche que Barthes se propose de poser. Mais, présupposant la langue, l'écriture a aussi un début : elle n'apparaît qu'au XVIIᵉ siècle, après que Vaugelas et les grammairiens de Port-Royal aient, au nom de principes différents (la norme dans un cas, la logique dans l'autre), fixé ou imposé la langue. Et l'écriture sera d'abord une conformité, le signe de l'adhésion à une classe, puisqu'aussi bien ceux qui écrivent sont près du pouvoir, dans la mouvance de la cour. De Fénelon à Voltaire, l'écriture bourgeoise se développe comme

---

(1) J'emploie le terme au sens où Barthes le prend dans cet ouvrage. Ce n'est que plus tard qu'il l'utilisera au sens des linguistes.
(2) *Le degré zéro de l'écriture*, page 14.
(3) *Id.*, page 17.

écriture de ceux qui ont une parcelle de pouvoir, le pouvoir intellectuel, et qui vont prendre le pouvoir politique à partir de 1789. Aussi y a-t-il une continuité d'écriture par-dessus la révolution, jusqu'au milieu du siècle suivant, jusqu'au moment où vont apparaître les industries métallurgiques et textiles, en bref le capitalisme.

Ce tournant économique va avoir pour Barthes un certain nombre de conséquences. Conséquences politiques, bien sûr, avec l'apparition de classes antagonistes. Conséquences idéologiques, avec le passage du singulier au pluriel, l'idéologie dominante ne pouvant plus prétendre à l'universalité. Conséquences dans la situation de l'intellectuel enfin, qui va sans cesse se trouver confronté au choix de l'écriture. On voit percer ici à l'évidence l'influence de Marx, voici que celle de Sartre apparaît. Car, si la notion d'écriture comme moment de liberté était déjà sartrienne, celle de choix d'écriture comme choix idéologique ne l'est pas moins. Pour nous, écrivait Sartre dans sa « Présentation des Temps Modernes », « l'écrivain n'est ni Vestale, ni Ariel : il est « dans le coup », quoi qu'il fasse, marqué, compromis, jusque dans sa plus lointaine retraite. Si, à certaines époques, il emploie son art à forger des bibelots d'inanité sonore, cela même est un signe : c'est qu'il y a une crise des lettres et, sans doute, de la Société, ou bien c'est que les classes dirigeantes l'ont aiguillé sans qu'il s'en doute vers une activité de luxe, de crainte qu'il n'aille grossir les troupes révolutionnaires » (1).

(1) *Situations* II, page 12.

Et Barthes lui fait écho : « C'est alors que les écritures commencent à se multiplier. Chacune désormais, la travaillée, la populiste, la neutre, la parlée, se veut l'acte initial par lequel l'écrivain assume ou abhorre sa condition bourgeoise (1). » Ça engage donc, ce qu'on écrit, fait dire Sartre à ses naïfs écrivains collaborateurs, et Barthes réplique que l'écriture n'est jamais naïve. Ses déclarations reproduites dans le numéro de *Tel Quel* déjà cité prennent alors un sens concret : son projet de « marxiser l'engagement sartrien » va se manifester à ce niveau, celui de l'écriture, en tentant de démontrer « l'engagement politique et historique du langage littéraire » (2). Le point d'impact du *Degré zéro de l'écriture* est ainsi le même que celui de « Qu'est-ce que la littérature » (in *Situations* II). Ce sont les voies qui divergent, car lorsque Sartre veut démontrer l'engagement nécessaire de l'écrivain, il considère le langage comme moyen de dénotation, alors que Barthes le prend comme lieu même de l'engagement. L'écrivain est « dans le coup », nous dit en gros Sartre, *parce qu'il utilise la langue*, dès lors pourquoi ne le serait-il pas consciemment, volontairement (3). Le choix de l'écrivain se manifeste, répond Barthes, dans *la façon dont il utilise la langue*, c'est-à-dire dans son écriture qui va être à la fois son affiche, sa carte de visite et son bulletin de vote.

(1) *Le degré zéro*, page 53.
(2) *Tel Quel*, n° 47, page 92.
(3) Rappelons que Sartre répondait, dans « Qu'est-ce que la littérature », à ceux qui lui reprochaient de vouloir « engager » l'art et la littérature.

Revenons donc à cette histoire de l'écriture. La révolution industrielle, la naissance du capitalisme, entraînant un pluralisme idéologique, vont poser à la littérature le problème de sa justification. Et l'écriture va tour à tour essayer plusieurs ruses de la raison qui seront des alibis ou des échecs. Alibi l'écriture-travail que l'écrivain-artisan mettra en avant : Gautier, Flaubert, Valéry, Gide « forment une sorte de compagnonnage des lettres françaises, où le labeur de la forme constitue le signe et la propriété d'une corporation » (1). Échec l'écriture politique que Barthes appelle « écriture policière », et l'écriture intellectuelle qui n'institue qu'une para-littérature, signe de l'adhésion à un manifeste : « Adopter une écriture... c'est faire l'économie de toutes les prémisses du choix ; c'est manifester comme acquises les raisons de ce choix (2). » Les communistes mêmes se font les suppôts de l'écriture bourgeoise qu'ils sont les premiers et bientôt les seuls à soutenir et à utiliser, cette écriture étant « jugée somme toute moins dangereuse que son propre procès » (3).

Restent pour Barthes deux solutions, et c'est dans leur énoncé que vont apparaître les rares allusions à la linguistique (il ne connaît alors que Brøndal et Jakobson, peut-être indirectement pour ce dernier, à travers des conversations avec Greimas. Voir *Tel Quel*, n° 47, page 98) : l'*écriture blanche* et l'*écriture parlée*. L'écriture blanche est une écriture amodale, neutre, tout comme l'indi-

(1) *Degré zéro*, page 56.
(2) *Id.*, page 27.
(3) *Id.*, page 64.

catif serait un *degré zéro* (le terme, qui donne son titre à l'ouvrage, est emprunté à Brøndal) du mode entre le subjonctif et l'impératif, ou comme le neutre en anglais (*it*) serait un degré zéro de la sexualité entre le masculin (*he*) et le féminin (*she*). Elle se manifeste donc par une impassibilité, une transparence totale qui laissent à la pensée toute sa responsabilité : nous sommes aux antipodes de l'écriture intellectuelle. Mais du même coup ce degré zéro de l'écriture exclut l'histoire en excluant la forme, refuse à la fois toute problématique du langage et toute problématique de la société : le refus de l'asservissement à l'idéologie est un dés-engagement au sens profond du terme. L'exemple privilégié de cette écriture blanche, c'est Camus dont Barthes a lu *L'Étranger* en sanatorium et dont il a fait un compte rendu dans une revue d'étudiants.

Quant à l'écriture parlée, c'est celle de Queneau, que Proust a peut-être le premier rendue possible en cernant les langages particuliers de ses différents personnages. C'est ici qu'intervient la seconde allusion à la linguistique : différences de niveaux de langue, différences entre l'oral et l'écrit, la langue n'est pas une, elle est diverse, plurielle, et la fuite de l'écriture peut consister à transcrire le parlé : « Queneau a voulu précisément montrer que la contamination parlée du discours écrit était possible dans toutes ses parties, et chez lui, la socialisation du langage littéraire saisit à la fois toutes les couches de l'écriture : la graphie, le lexique et — ce qui est plus important quoique moins spectaculaire — le débit (1). »

(1) *Id.*, page 71.

La problématique du *Degré zéro de l'écriture* concerne donc à la fois le *projet* de Barthes et sa *méthodologie*, tous deux allant par la suite se préciser. Son projet n'est sans doute pas ce qu'on a souvent dit et ce que, peut-être, les pages précédentes laissent supposer : faire une histoire de l'écriture ou, ce qui revient au même, une histoire marxiste de la littérature (il doit être clair que j'emploie dans cette phrase le terme *écriture* au sens où Barthes le prend dans l'ouvrage). Cela c'est le moyen, qui devait tout à Marx. Le but devait beaucoup plus à Sartre dont la notion d'*engagement* est toujours à la limite de la morale, et Barthes le posait deux fois nettement, en introduction et en conclusion de son essai :

« Ce qu'on veut ici, c'est esquisser cette liaison ; c'est affirmer l'existence d'une réalité formelle indépendante de la langue et du style ; c'est essayer de montrer que cette troisième dimension de la forme attache elle aussi, non sans un tragique supplémentaire, l'écrivain à sa société ; c'est enfin faire sentir qu'il n'y a pas de Littérature sans une morale du langage (1). »

« La multiplication des écritures est un fait moderne qui oblige l'écrivain à un choix, fait de la forme une conduite et provoque une éthique de l'écriture (2). »

(1) *Id.*, page 12.
(2) *Id.*, page 73.

Cette éthique de l'écriture, cet engagement sartrien de la forme, est à son tour un paravent qui nous renvoie au troisième étage du projet, celui qui restera dans toute l'œuvre de Barthes : la quête de l'idéologie derrière ses masques. Ainsi histoire de l'écriture, engagement de l'écriture (c'est-à-dire manifestation concrète de son aspect historique) et écriture comme signe de l'adhésion à une idéologie sont des éléments en trompe l'œil qui nous mènent au cœur de la réflexion barthienne, ici naissante. L'histoire des idéologies pourrait être manifestée par l'histoire de leurs signes ou de leurs masques, et c'est l'un de ces masques que Barthes approche dans le *Degré zéro*, comme il en décrira d'autres plus tard dans ses *Mythologies* ou dans son *Système de la mode*.

L'ouvrage révèle aussi l'embryon de la méthodologie barthienne qui apparaît ici comme un niveau d'intervention. Dès les premières lignes il abat ses cartes : « Hébert ne commençait jamais un numéro du « Père Duchêne » sans y mettre quelques « foutre » ou quelques « bougre ». Ces grossièretés ne signifiaient rien mais elles signalaient. Quoi ? Toute une situation révolutionnaire. Voilà donc l'exemple d'une écriture dont la fonction n'est plus seulement de communiquer ou d'exprimer, mais d'imposer un au-delà du langage qui est à la fois l'Histoire et le parti qu'on y prend (1). »

(1) *Id.*, page 9.

La terminologie est démodée, mais le niveau d'intervention n'en est pas moins clair. Ce qui se manifeste ici par le couple oppositif *signifier/ signaler*, c'est ce que Mounin appellera plus tard *communiquer* et *signifier* (voir chap. 1). Signifier, pour Barthes, c'est le rôle du signe (la fonction de communication dont parlent les linguistes aujourd'hui), et son propos est de montrer que par-delà cette fonction reconnue par tous, il en est une autre (qu'il baptise : signal) indiquant l'appartenance idéologique, le choix, qu'il soit ou non conscient. Un autre passage de l'ouvrage est encore plus clair de ce point de vue : « L'écriture n'est nullement un instrument de communication, elle n'est pas une voie ouverte par où passerait seulement une intention de langage (1). » Certes la terminologie manque en général de rigueur dans le *Degré zéro*, du moins pour le lecteur moderne, mais il faut rappeler et ne jamais oublier que d'une part Barthes ne connaissait pas encore la linguistique (mis à part Brøndal, comme nous l'avons déjà signalé) et que d'autre part cette linguistique n'avait pas encore bien fixé sa position en la matière : seuls Hjelsmlev et dans une moindre mesure Buyssens se posaient alors ce type de problèmes. Barthes ne les a pas lus, Hjelsmlev n'est d'ailleurs pas traduit du danois et n'est connu que par un court article de Martinet. Mais ces deux passages, comme bien d'autres de l'ouvrage, comportent une affirmation théorique et une affirmation méthodologique qui place d'emblée le livre au cœur d'une sémiologie à venir :

(1) *Id.*, page 21.

— L'affirmation théorique d'abord : la communication (qui, nous l'avons vu au chapitre 1, se définit généralement par l'*intention* de communiquer) n'est pas la seule fonction des systèmes sémiologiques, il en est d'autres, une au moins, celle de signal (1), par laquelle se manifeste l'idéologie.

— L'affirmation méthodologique ensuite : cette fonction seconde, nous allons la chercher à un niveau second, celui où le discours devient la forme d'un autre discours.

C'est dire qu'en germe *Le degré zéro de l'écriture* contient déjà la notion de connotation que Barthes trouvera un peu plus tard chez Hjelmslev (du moins il en trouvera la formalisation, puisque l'idée est déjà présente, nécessaire). Et ainsi, la double détermination Marx-Sartre qui préside à l'élaboration du texte est déjà dépassée par la postulation d'un autre apport théorique, celui de la linguistique, que Barthes entrevoit un peu mais qu'il n'utilise pour ainsi dire pas. L'histoire des dix années suivantes de la production barthienne va être celle de l'assimilation de cette linguistique, postulée ici.

(1) A ne pas confondre avec ce que Luis Prieto appellera *signal* dix ans plus tard : le contraire, exactement.

3

LE SIGNE QUOTIDIEN :
MYTHOLOGIES

Les cinquante-quatre courtes études de *Mythologies* sont autant de textes d'actualité que Barthes produit au cours d'une période « journalistique » qui couvre quelques années de sa vie. Ces textes, précise-t-il en tête de l'ouvrage, « ont été écrits chaque mois pendant environ deux ans, de 1954 à 1956, au gré de l'actualité » (1). Cette production s'étend en fait d'octobre 1952 à mai 1956 (2), principalement dans la livraison mensuelle des *Lettres Nouvelles*, à deux exceptions près (3). Et son but est également précisé : « Le départ de cette réflexion était le plus souvent un sentiment d'impatience devant le « naturel » dont la presse, l'art, le sens commun affublent sans cesse une réalité qui, pour être celle dans laquelle nous vivons, n'en est pas moins parfaitement historique : en un mot, je souffrais de voir à tout moment

(1) *Mythologies*, page 7.
(2) « Le monde où l'on catche », *Esprit*, octobre 1952. « Petite mythologie du mois », *Lettres Nouvelles*, mai 1956.
(3) *Esprit* (voir note précédente) et *France Observateur*, 9 septembre 1954, « L'écrivain en vacances ».

confondues dans le récit de notre actualité, Nature et Histoire, et je voulais ressaisir dans l'exposition décorative de ce-qui-va-de-soi, l'abus idéologique qui, à mon sens, s'y trouve caché (1). »

En 1971, dans le numéro de *Tel Quel* déjà cité, Barthes ajoute : « Le propos des *Mythologies* n'est pas politique mais idéologique (paradoxalement, dans notre temps et dans notre France, les péripéties idéologiques paraissent plus nombreuses que les péripéties politiques). Le propre des *Mythologies* c'est de prendre systématiquement *en bloc* une sorte de monstre que j'ai appelé la « petite bourgeoisie » (quitte à en faire un mythe) et de taper inlassablement sur le bloc (2). »

Dans les deux passages apparaît ce qui sera toujours définitoire du Barthes sémiologue et de sa pensée : la tentative de dévoiler la distorsion idéologique ou, si l'on préfère, le vol de sens. Il écrira lui-même que le mythe est une parole volée puis rendue déformée, et une notion est toujours au centre de cette problématique, celle de *réel* (nous en reparlerons plus longuement à propos du *Système de la mode*). Ce qui importe ici, c'est que Barthes, à propos de ce qu'il baptise dès le début *mythe*, va peu à peu en arriver au besoin de la formalisation. Le mythe c'est d'abord pour lui ce qu'en dit le dictionnaire : « Tradition qui, sous la figure de l'allégorie, laisse voir un grand fait naturel, historique ou philosophique » (Larousse), c'est le *muthos* grec, la légende. Cela va ensuite devenir la *mystification*, « action de mystifier, chose vaine,

(1) *Mythologies*, p. 7.
(2) *Tel Quel*, n° 47, page 96.

trompeuse », toujours selon Larousse, pour enfin être interprété comme un code. Les *Mythologies* sont parfaitement révélatrices de cette évolution dont la chronologie des essais rend d'ailleurs assez bien compte.

LE MYTHE COMME ALLÉGORIE

Tout d'abord donc, l'Olympe, le monde des dieux. Qu'il s'agisse des catcheurs, des acteurs photographiés, des romains au cinéma ou de l'écrivain en vacances, c'est en effet la déification qui frappe en premier, qui constitue le statut des susdits. On sait que le mythe implique une allégorie, un symbolisme. Pour le catch il s'agit de l'opposition entre le Bien et le Mal, avec d'ailleurs des variantes géographiques : le Mal ce sera aux U. S. A. le rouge, le communiste, mais ce sera en France le salaud, celui qui triche avec la règle, la violant ou s'en réclamant tour à tour. Pour l'acteur photographié, il s'agit d'une sorte de neutralisation : on connaît l'acteur à la scène ou à l'écran, matérialisé par un rôle, daté, âgé (c'est-à-dire ayant un âge quelconque, jeune ou vieux), bref marqué. La photo va au contraire nous le rendre éthéré, par une fausse image de l'acteur à la ville, une fausse ville aussi. Il n'a alors plus de voix, plus de nom, plus de rôle, il est « idéalement silencieux, c'est-à-dire mystérieux, plein du secret profond que l'on suppose à toute beauté qui ne parle pas » (1). Et la galerie de portraits que

(1) *Mythologies*, page 23.

produisent les studios d'Harcourt devient ainsi une procession divine, un Olympe de demi-dieux qui s'actualisent parfois, ici ou là, dans un film, dans une pièce, mais dont l'essence même est immatérielle, évanescente. Le mythe procède ici par renversement : ce n'est pas dans ses rôles que l'acteur est un héros, mais dans sa vie, du moins dans cette parcelle de vie imaginaire que la photo nous renvoie.

Ce mythe se manifeste par signes, mais par signes qui manquent souvent de franchise. Dans le cas des romains au cinéma, par exemple, deux signes coexistent : la frange de cheveux dont sont affublés les personnages (Barthes analyse le film *Jules César* de Mankiewicz dans lequel il n'y a pas de chauves) et la sueur qu'ils manifestent tous (sauf César). Or la frange se veut ici « l'affiche de la romanité » tandis que la sueur, révélée par la profusion des gros plans, « est elle aussi un signe. De quoi ? De la moralité. Tout le monde sue parce que tout le monde débat quelque chose en lui-même... le peuple, traumatisé par la mort de César, puis par les arguments de Marc-Antoine, le peuple sue, combinant économiquement dans ce seul signe, l'intensité de son émotion et le caractère fruste de sa condition » (1). Au catch, tout est signe. On peut se demander lors d'un match de boxe si un coup a porté, s'il a fait mal à l'adversaire, on peut s'interroger sur ce que pense le boxeur, sur ses réactions ou ses intentions. Rien de cela au catch, car le catch n'est pas un

(1) *Id.*, pages 27-28.

sport mais un spectacle où tout est manifesté. Comme le théâtre antique ou la pantomime, le catch est fait d'amplifications. Nietzsche a noté il y a longtemps ce phénomène de la tragédie grecque où « Dionysos, seul personnage réel, (se) manifeste à travers une pluralité de figures, sous le masque d'un héros qui lutte et s'emprisonne... » (1). Le catcheur a son tour impose par son physique une lecture, il est sa propre affiche, son propre masque, et sa seule apparition porte déjà en germe tout le déroulement de la rencontre. Le reste va confirmer ce masque, chaque geste, chaque mimique de souffrance ou de haine signalant : vous voyez, je suis bien le salaud que mon aspect physique vous a laissé supposer. Mais pour cela il faut que le geste porte, d'où l'emphase nécessaire pour le constituer comme signe. D'où la fonction de la manchette grandiloquente, du coup de pied vengeur donné au vaincu qui gît au sol, ou de la sournoise attaque au moment de la pause, en se cachant de l'arbitre, mais au vu et au su de toute la salle : le coup en traître que personne ne verrait n'aurait aucun intérêt puisqu'il ne compte qu'en tant qu'on le perçoit comme signe de la méchanceté ou de la traîtrise, du Mal. On retrouve ici l'opposition avec la boxe où le coup bas se donne toujours en cachette : sa fonction est de faire mal, mais sa finalité (fatiguer l'adversaire) implique qu'il passe inaperçu, faute de quoi la pénalisation risque d'en neutraliser la portée. Au catch, au contraire, le mauvais coup a pour fonction d'être

(1) *Naissance de la tragédie*, éd. Gonthier, page 69.

vu comme mauvais coup : inaperçu il serait inopérant. C'est pourquoi la boxe est du côté du sport, du côté des coups qui font mal, et le catch du côté du spectacle, du côté des coups qui se font voir.

L'écrivain, comme l'acteur ou le catcheur, est aussi un dieu que les manifestations les plus prosaïques confortent dans ce statut. Ainsi de ses vacances. Certes l'écrivain prend des vacances, comme l'ouvrier, comme l'employé, comme tout le monde. Mais il y demeure différent en ce sens qu'il y prépare toujours un nouveau livre, corrige des épreuves, prend des notes, lit, et ce qui le ramène ainsi au niveau du commun des mortels (il prend des vacances) l'en éloigne aussitôt puisqu'il prend, finalement, des vacances différentes, des vacances d'écrivain : il change d'air mais ne change pas de résidence, demeure à l'Olympe contre vent et saisons (il s'agit bien sûr, ici, de l'image des vacances de l'écrivain que nous propose une certaine presse).

L'approche que Barthes opère de ces différents signes est, au début des *Mythologies*, ambiguë. Ainsi, pour les romains de cinéma, sa principale critique semble être de caractère « esthétique » (du moins elle raisonne selon les critères de pertinence du spectacle) : le signe-sueur et le signe-frange sont dégradés parce qu'intermédiaires, se situant entre les deux extrêmes que seraient le signe intellectuel, totalement elliptique, et le signe viscéral, venu des profondeurs de l'acteur et non réitérable. Ici comme pour le catch ou pour la photo de vedette on aura compris qu'il s'agit de signes volontairement émis : la frange veut être le signe de la « romanité », elle est portée pour ça, la manchette vicieuse veut être le signe de la méchanceté, etc. C'est-à-dire que nous sommes dans l'univers du spectacle, où les signes manquent peut-être de franchise parce qu'ils ne choisissent qu'une voie moyenne, mais où ils ne cachent pas leur fonction au consommateur. Ici, pour employer un vocabulaire que Barthes n'utilise pas encore à l'époque, l'émetteur encode un message fait pour être décodé par le récepteur : si les diverses franges du film de Mankiewicz manquaient à leur devoir, ne proclamaient pas à chaque instant « nous sommes des franges de romains », le coiffeur et le décorateur auraient raté leur coup et le film tout entier serait raté. Et c'est cette qualité de spectacle qui détermine peut-être l'approche barthienne. Le signe est ici un masque au sens où le masque était utilisé dans la tragédie grecque : non pas pour cacher mais au contraire pour aider à lire, et Barthes le lit comme tel, le décrit comme partie de spectacle, le critique comme parfois inadéquat à sa fonction.

Les choses vont cependant très vite changer, et déjà dans « l'écrivain en vacances » apparaît en filigrane sous le *mythe-allégorie* de l'écrivain le *mythe-mensonge* des vacances. « D'abord fait scolaire, elles sont devenues depuis les congés payés un fait prolétaire, du moins laborieux », écrit Barthes (1), en indiquant au détour d'une phrase qu'il pourrait être intéressant de faire un

(1) *Mythologies*, page 29.

jour l'histoire du développement mythologique de ce fait social que sont les vacances. Ainsi le mythe-allégorie de l'écrivain est posé par rapport à un autre mythe, celui des vacances, dont la fonction ne relève plus du spectacle, ou du moins ne relève plus du même spectacle. L'intention de communication de l'émetteur que je soulignais plus haut n'est plus aussi nette, elle peut être retorse, bref nous entrons là dans une seconde phase, celle du mythe « chose vaine, trompeuse », c'est-à-dire de la mystification.

LE MYTHE COMME MENSONGE

J'ai déjà signalé l'importance de la notion de *réel* ou de *réalité* chez Barthes. Quelle que soit la difficulté que l'on a à manier ces mots (y a-t-il vraiment une réalité en dehors de notre perception ?), cette insistance est significative car c'est entre la réalité et la perception que nous en avons que va se glisser le mythe. C'est ainsi le journal qui s'insère entre l'événement et le lecteur, l'affiche publicitaire qui, manifestant le produit, s'introduit en fait entre lui et l'acheteur, le critique qui s'impose entre l'œuvre et le consommateur éventuel. Et cette insertion, ce prisme, est le lieu de la distorsion idéologique, le lieu du mensonge (le terme de *mensonge* n'a ici de sens que par rapport à celui de réalité. On pourrait aussi bien dire qu'un mythe ne ment jamais, qu'il exprime au contraire la vérité d'une certaine idéologie). Ainsi du critique qui est, par fonction, lecteur ou voyeur, mais qui se trouve parfois sujet à des accès de cécité mensongère : « s'avouer trop bête, trop béotien pour comprendre un ouvrage réputé philosophique », « feinte panique d'imbécillité », etc. (1). Quoi de plus étonnant, de plus anormal que le critique avouant qu'il n'y comprend rien. C'est, en première analyse, un mythe qui tombe (mythe au sens premier, olympien, du terme) : cet homme omniscient, cet intermédiaire obligé qu'est le critique se trouve soudain pris en défaut, incapable. Sa science, sa subtilité, sa finesse s'avèrent insuffisantes et, qui mieux est, il les reconnaît telles. L'anormalité est donc double : le critique ne peut plus jouer son rôle, d'une part, il l'avoue d'autre part. Mais cette démystification, entreprise par l'objet même du mythe, est trompeuse : le critique ne pense pas ce qu'il dit, il ne dit surtout pas ce qu'il dit. Chaque fois que, penaud, il s'exclame : « Je n'y comprends rien », son discours signifie tout autre chose : « il n'y a rien à comprendre » et « vous autres qui n'y comprenez rien, vous êtes dans le vrai et vous êtes donc aussi intelligents que moi ». Il pourrait n'y avoir là qu'une façon malhonnête de transformer la difficulté d'accès d'une œuvre en faiblesse du créateur : ce n'est pas que je n'y comprenne rien, c'est plutôt que l'œuvre dont je parle est une salade dont il n'y a rien à tirer. Mais cette « critique muette et aveugle », comme la baptise Barthes, n'est pas (seulement) malhonnête, elle est policière. Car ces professions d'incompréhension n'ont pas pour but

(1) *Id.*, page 35.

de jeter l'opprobre sur une partie de la production littéraire, de la ridiculiser, elle a pour fonction de l'exclure du champ de l'admissible. « En fait, toute réserve sur la culture est une position terroriste. Faire métier de critique et proclamer que l'on ne comprend rien à l'existentialisme et au marxisme (car par un fait exprès ce sont surtout ces philosophies-là que l'on avoue ne pas comprendre), c'est ériger sa cécité ou son mutisme en règle universelle de perception, c'est rejeter du monde le marxisme et l'existentialisme : je ne vous comprends pas, donc vous êtes idiots (1). »

Le critique devient ainsi le flic qui, jouant sur la projection de son lecteur, pratique l'exclusion au nom de critères qui n'ont plus rien d'esthétique. Le jeu ainsi manifesté entre l'œuvre, le critique et son lecteur ne se réduit cependant pas à ce type de situation. On peut, bien sûr, le voir dans toute activité critique : chaque fois qu'un article encense une œuvre, il intervient de la même façon, mais en sens contraire, entre cette œuvre et son lecteur. On peut aussi le voir dans tous les cas d'insertion entre « réalité » et perception que nous avons de cette « réalité ». Ainsi le rapport entre la saleté et le détergent est-il, en première approche, un problème purement matériel. Dès lors qu'une poudre à laver nettoie ma chemise, elle remplit le rôle que j'attendais d'elle. Mais la publicité, qui vient s'insérer entre les poudres à laver et la perception que j'en ai, me donnent une vision toute différente de ce rapport. Le sale et le lavage de-

(1) *Id.*, page 36.

viennent les protagonistes d'une chasse, d'un procès, où la crasse et le détergent apparaissent comme les deux pôles d'une vision manichéenne de la vie quotidienne. *Omo est là et la saleté s'en va, La blancheur persil,* deux syntagmes qui participent également de cette mythologie transformant le lavage en la recherche d'un « plus blanc » inaccessible et pourtant atteint grâce à Persil (plus blanc que le blanc du voisin, bien sûr, ce qui introduit en outre une notion de compétition sociale) ou en une chasse dont Omo est le meilleur fusil. « La publicité d'*Omo*... engage ainsi le consommateur dans une sorte de mode vécu de la substance, le rend complice d'une délivrance et non plus seulement bénéficiaire d'un résultat ; la matière est ici pourvue d'états-valeurs (1). » Il n'y a là, dira-t-on, rien de différent de ce mythe-allégorie dont nous parlions plus haut. A ce premier niveau, non. Mais Omo et Persil attaquent le mal-saleté sous des angles différents, avec des armes différentes. Ils servent tous deux le bien-blancheur ou le bien-propreté-en-profondeur de façon diverse, sans cependant apparaître comme vraiment concurrents. Alliés, plutôt, dans cette croisade pour la salubrité. C'est que le mythe-allégorie est de lui-même le masque du mythe-mensonge : Persil et Omo mènent le même combat sur tous les plans, puisqu'ils sont produits par la même firme, le trust Unilever, et que leur composition n'est guère différente. Et la publicité intervient ainsi de façon distordante entre l'inoffensif

_____

(1) *Id.*, page 39.

paquet de lessive et la perception que j'en ai, réorientant la vision que j'ai de la fonction détergente, masquant surtout le vrai problème, sa vraie fonction : faire vendre.

Ce mythe-mensonge recourt parfois à des artifices tortueux dont l'un, que j'appellerai *la part du feu* ou *des brebis galeuses*, caractérise pour Barthes « l'opération Astra ». Certes, la police se livre parfois à des excès de violence, certes certains de ses membres sont compromis dans le milieu, certes, certes... Mais l'immense majorité de la police... Vous pensiez que l'armée est faite de gradés imbéciles ? Vous avez raison pour quelques-uns, mais dans l'ensemble... L'église est d'un attristant conformisme ? Oui, hélas, mais cependant daignez considérer ses bienfaits... « Un peu de mal avoué dispense de reconnaître beaucoup de mal caché (1). » Ce scénario, mille fois recommencé, est celui de la publicité Astra. Mon Dieu, de la margarine dans la cuisine ! Les mines s'allongent, pleine de réprobation. Mais un téméraire convive goûte le plat, réfléchit, sourit : « Vous voilà débarrassé d'un préjugé qui vous coûtait cher ! »

Ce mythe-mensonge, on l'aura deviné, participe en même temps d'une vision sociale : ce n'est pas par hasard que Persil vante son blanc, c'est parce qu'il est « plus blanc » que les autres, ce n'est pas par hasard que le critique feint de croire à la vacuité de certaines œuvres, mais peut-être parce que ces œuvres démontrent la vacuité de la critique. Dans les deux cas, la défense d'un système,

(1) *Id.*, page 47.

d'un ordre, qui se trouvent donc être *communiqués* par les mythes. Je l'ai déjà suggéré, le mensonge est toujours une vérité, à un plan supérieur. Encore faut-il que cette « vérité » soit décodable, c'est-à-dire que le mythe participe d'un code.

LE MYTHE COMME CODE

Ce code, Barthes le construit d'abord malgré lui. A force d'acccumuler des briques, on finit parfois par faire un mur ; l'auteur accumule ici des descriptions qui sont au départ des éléments indépendants, uniquement reliés à l'actualité, mais qui vont peu à peu constituer un sens. « Leur lien est d'insistance, de répétition », note Barthes dans sa préface, et il ajoute : « les choses répétées signifient ». Elles signifient même deux fois, parce qu'elles se répètent sur deux plans différents. Au plan de l'objet décrit, d'abord, c'est-à-dire au plan de la société : l'accumulation de ces mythologies témoigne de faits redondants, définitoires de la société. Au plan du descripteur ensuite, de son projet : la répétition est aussi bien d'événement que de perception. Ce rapport entre mythologie et mythologue, que Barthes n'ignore pas, s'accompagne, nous l'allons voir, d'un rapport plus important entre mythe et créateur du mythe. Disons pour simplifier que, le mythe étant pris comme un objet *émis,* il a un émetteur et un récepteur (le mythologue étant, lui, un récepteur critique). Or la lecture du mythe est significative du lecteur (du récepteur), mais la structure du mythe est significative de l'émetteur. Cet étagement des niveaux de signification, qui prendra de plus en plus d'importance chez Barthes, est à l'origine de la notion de code.

Ainsi, les mythologies vont prendre consistance à partir du moment où l'accumulation dégage clairement leur cible et sa caractéristique. La cible, c'est la petite bourgeoisie. Absente des premiers textes du volume, elle pénètre ensuite en force, s'installe partout, souvent à la première ligne de chaque mythologie :

— « Le mythe petit-bourgeois du Nègre » (Bichon chez les Nègres, page 70).

— « Ce que la petite bourgeoisie respecte le plus au monde, c'est l'immanence » (Quelques paroles de M. Poujade, page 96).

— « J'ai déjà signalé la prédilection de la petite bourgeoisie pour les raisonnements tautologiques » (Racine est Racine, page 109).

— « Promotion bourgeoise de la montagne » (Le guide bleu, page 136).

— « Puisqu'il y a désormais des voyages bourgeois en Russie » (La croisière du Batory, page 147). Etc.

Cette importance statistique accordée à la petite bourgeoisie ou à la bourgeoisie tout court est significative : c'est là que Barthes situe l'émetteur du mythe, c'est aussi là qu'il situe l'ennemi. Et cet ennemi a pour principale caractéristique de penser par tautologie : A = A, Racine est Racine, ce qui est beau est beau, etc. Ces deux points apparaissent donc au fil des répétitions, un peu par hasard, mais le hasard devient bien vite nécessité et la préface fixe les choses avec précision : c'est une « sémiologie générale de notre monde bourgeois » qu'entame Barthes, en partant en guerre contre « ce-qui-va-de-soi ». La répétition de ce qu'il perçoit constitue donc pour lui le monde bourgeois, tout comme elle pourrait constituer pour nous son rapport à ce monde. Mais ce qui nous importe surtout ici, c'est la naissance du code à travers cette structuration. Prenons par exemple *Bichon chez les nègres*. L'analyse barthienne de cette histoire publiée par l'hebdomadaire *Paris-Match* (qui met en scène un couple et un bébé aventurés en Afrique) évolue dans deux directions. Verticalement d'une part, dévoilant le sens profond de l'aventure de Bichon : « On a déjà deviné l'image du nègre qui se profile derrière ce petit roman bien tonique (1). » Mais aussi horizontalement, vers d'autres mythologies, vers toutes peut-être. La direction verticale, en profondeur, définit l'entreprise du mythologue, la direction horizontale, en surface, annonce celle du sémiologue. Car c'est de cela qu'il s'agit, du passage progressif de la mythologie vers la sémiologie. Chacun des essais descriptifs apporte sa pierre à un édifice qui le dépasse : derrière l'épopée du tour de France il y a la contradiction entre idéalisme et réalisme, derrière les frites il y a la francité, derrière tout cela il y a Poujade qui sert de chapeau à la petite bourgeoisie. Et l'ensemble de ces mythologies fournit peu à peu les *éléments* d'une sémiologie du monde bourgeois. La des-

(1) *Id.*, p. 71.

cription reste à faire, nous n'en avons que le matériau, mais la direction de travail est clairement indiquée dans le dernier texte du recueil, consacré à Pierre Poujade (Poujade et les intellectuels). Barthes y note en effet que le mythe est *signe de son inventeur*. Par exemple, les caractéristiques péjoratives que la petite bourgeoisie attribue aux intellectuels consistent en fait « à charger l'adversaire des effets de ses propres fautes, à appeler obscurité son propre aveuglement et dérèglement verbal sa propre surdité » (1). On peut alors décrire l'obscurité ou le dérèglement verbal, ce qui constitue le travail du mythologue, ou les prendre comme signe de l'aveuglement ou de la surdité, travail du sémiologue. Barthes évolue entre ces deux pôles, ici entre les intellectuels-selon-Poujade et les poujadistes définis par ce mythe des intellectuels. Et c'est cette évolution qui va le forcer à théoriser et à ajouter, à la fin des *Mythologies*, son texte « le mythe aujourd'hui ».

Ainsi, entre le mythe comme allégorie, lisible comme un signe émis pour être lu, et le mythe comme mensonge, qui impose une lecture distordue, il n'y avait que la rouerie sociale, la distorsion idéologique. Mais le mythe comme code entraîne d'autres changements. Le centre d'intérêt se déplace vers l'émetteur (dont le message devient signe), et cette approche réclame un instrument heuristique. C'est l'origine de l'intérêt de Barthes pour la sémiologie.

(1) *Id.*, page 206.

4
LA SECONDE PHASE THÉORIQUE :
LE MYTHE AUJOURD'HUI
(ENTRE SAUSSURE ET HJELMSLEV)

Le degré zéro de l'écriture représentait dans la trajectoire de Roland Barthes un point de départ théorique, consécutif à l'intuition née de la lecture de Camus. Entre Marx et Sartre il essayait de trouver le joint qui fasse de l'écriture une insertion dans le social. Vinrent ensuite le *Michelet par lui-même* et ces *Mythologies* qu'il écrivit au gré de l'actualité. Nous venons de le voir, la progression même de ces études imposait à Barthes de revenir au théorique. Sa notion de mythe, à son insu peut-être, avait évolué de l'allégorie vers le code. Et c'est sans doute la perspective de les regrouper en un volume qui lui imposa cette évidence. Nous savons, depuis les théoriciens de la Gestalt, que la somme des éléments est quelque chose de plus que leur simple addition. Ces petites mythologies mensuelles regroupées appelaient autre chose qui vînt les couronner. En préface, « le Mythe aujourd'hui » eût été comme un mode de lecture, une direction au lecteur. En postface il était sa vérité : un pont dialectique entre deux pratiques, celle présente dans l'ouvrage et celle à venir, qui allait constituer la matière des *Essais critiques*. Regroupant ainsi les différents éléments d'une pratique antérieure, Barthes allait donc théoriser le *mythe*, dont il tente de nous donner une description exhaustive.

FORME DU MYTHE

Ce qui importe le plus ici, c'est que Barthes a trouvé deux apports théoriques qui lui permettent de donner forme à un édifice resté incomplet depuis le *Degré zéro*. Nous avons signalé que la notion de connotation y était à fleur de texte, nécessaire, latente. Barthes ne pouvait pourtant pas la formuler, parce qu'il n'avait pas lu Hjelmslev bien sûr, mais aussi et peut-être surtout parce qu'il n'avait pas de théorie du signe. Or le « Mythe aujourd'hui » s'ouvre sous le double patronage de Saussure et de Hjelmslev. Patronage explicite pour Saussure, cité deux fois (217, 220) et dont la notion de signe est très exactement reprise ; patronage implicite pour Hjelmslev, jamais cité mais dont la notion de connotation est spatialisée dans le schéma de la page 222.

Le signe saussurien est repris dans sa lettre, avec les vocables traditionnels aujourd'hui (signifiant-signifié-signe) comme dans son esprit (le signe est « total associatif d'un concept et d'une image »). Mais celui-ci est en même temps plié, soumis, tout à la fois aux projets et aux lectures barthiennes. Ainsi nous propose-t-il une traduction des termes *signifiant*, *signifié* et *signe* pris comme génériques chez Saussure, Freud et Sartre qui, on le verra, ne manque pas d'intérêt. Signalons cependant que la dualité introduite par Barthes entre les termes génériques *signifiant* et *signifié* et les termes saussuriens *concept* et *image acoustique* est fausse : elle repose sur une erreur de rédaction du *Cours de Linguistique Générale* et l'étude des inédits saussuriens nous a depuis appris que Saussure avait explicitement demandé dans un cours que l'on remplaçât les seconds par les premiers : ils sont en fait synonymes. Mais cela, Barthes ne pouvait pas le savoir à l'époque où il écrivait son texte, les inédits n'étant pas encore publiés.

Voici donc les traductions qu'il nous propose :

	signifiant	signifié	signe
Saussure	image acoustique	concept	signe
Freud	sens manifeste	sens latent	rêve
Sartre (1)	littérature	crise originelle du sujet	œuvre

(1) Barthes fait ici référence à la critique sartrienne, c'est-à-dire, pour l'époque, à deux textes : *Baudelaire* et *Saint Genêt*.

Ce système d'équivalence a d'abord valeur pédagogique : le signe est l'ensemble du signifiant et du signifié, comme le rêve pour Freud n'est ni le sens latent ni le sens manifeste mais leur liaison fonctionnelle, ou encore comme l'œuvre de Baudelaire (en tant que signe) est, pour Sartre, un rapport entre le discours de Baudelaire (sa littérature) et sa crise originelle (la séparation de la mère). Mais la comparaison, comme l'exemple, n'est jamais naïve, et le choix ici de Freud et de Sartre pour illustrer Saussure est beaucoup plus qu'un simple choix pédagogique. Ces équivalences éclairent en fait le projet barthien. Il connaît un peu Freud, bien Sartre, et depuis peu de temps Saussure. Les deux premiers sont en amont du « Mythe aujourd'hui », ils représentent une détermination déjà agissante dans le *Degré zéro* (surtout pour Sartre, conjointement avec Marx) et dans les *Mythologies* (que nous pourrions au fond considérer *aussi* comme une tentative de psychanalyse sociale). Critique idéologique, psychanalyse de la société, Barthes hésite. Mais Saussure, le troisième terme de ce triumvirat, est en aval de ces textes et c'est lui qui ouvre la voie.

Le mythe, par rapport à cela ? C'est un signe second, un signe dont le signifiant est déjà un signe. Cette idée de la connotation, empruntée à Hjelmslev (et improprement baptisée ici métalangage, terme pourtant utilisé correctement aux pages 265 et 267), est illustrée de deux façons, par un tableau et par deux exemples. Le tableau traduit simplement le processus de la connotation, dans lequel un signe (association d'un signifié et d'un signifiant) devient à son tour un signifiant qui, associé à un autre signifié, constituera une nouvelle unité, un signe de niveau supérieur. Mais Barthes, gêné par l'accumulation de termes synonymes alors qu'ils dénotent des réalités différentes (signifiant de dénotation, de connotation, etc.), accumulation dont ma phrase précédente donne un exemple, propose une terminologie faisant le départ entre le signe de dénotation et le signe de connotation, terminologie qui apparaît dans les figures suivantes.

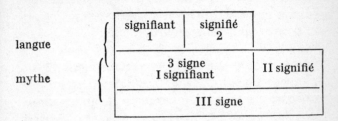

Fig. 1. — La connotation (*Mythologies*, page 222).

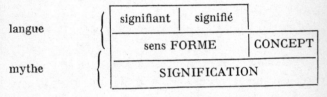

Fig. 2. — Innovations terminologiques.

Le mythe a donc pour *forme* un *sens* préalable (ou un signe, un discours, etc.), ces innovations présentent à l'évidence le désavantage d'utiliser en un sens nouveau des termes qui, chez Saussure, ont déjà un sens particulier et tout différent (*sens*, et surtout *signification*). Barthes prend alors l'exemple suivant : soit la phrase *quia ego nominor leo*. Elle a un sens, je peux ainsi la traduire (« car moi je m'appelle lion »), sens qui est le résultat de l'association d'un signifiant (*quia ego nominor leo*) et d'un signifié (ce qui y a, par exemple, de commun aux phrases latine et française). Mais,

57

en même temps, cette phrase est fréquemment utilisée comme exemple de grammaire pour illustrer l'accord de l'attribut. Et pour le consommateur de grammaire latine, l'élève de cinquième ou l'ancien élève de cinquième, *quia ego leo nominor* est une *forme* qui, associée à un *concept*, apporte un sens second (une *signification*) : « Je suis tel exemple de grammaire. » *Quia ego nominor leo* dénote ainsi, d'une part, un certain message (« je m'appelle lion ») et connote d'autre part un message parasite (« je suis un exemple de grammaire »). Et le mythe sera toujours à ce second niveau, du côté de la connotation. Le signe (le sens) sur lequel il se greffe peut être variable (langue, photo, sport...) mais constitue toujours un niveau de dénotation par rapport à quoi se bâtit la connotation.

La forme du mythe, grâce à Saussure et Hjelmslev, est ainsi posée. Mais cette description est statique alors que le mythe est inséparable de sa fonction et du processus par lequel il est émis.

FONCTION DU MYTHE

La fonction du mythe est déjà incluse dans sa forme puisqu'un système de connotation est à la fois parasite et voleur de parole. Parasite, c'est-à-dire surajouté : nous venons de voir que la forme du mythe se constitue à partir d'un sens qui lui préexiste. Voleur de parole, c'est-à-dire détourneur de sens, pour la même raison. Nous sommes ici, au plan théorique, dans le droit fil de ce mythe comme code que nous avons dégagé au chapitre précédent. Le mythe ne ment pas, ne cache pas, il déforme, il détourne : « sa fonction est de déformer, non de faire disparaître » (1). Cette déformation est bien évidemment inhérente aux langues de connotation : c'est parce que la forme du mythe est constituée d'un sens que le mythe peut déformer. Ce processus est impossible dans une langue de dénotation où le signifiant est vide, ne renvoie à nul autre signe préalable que l'on pourrait détourner de son sens.

Cette duplicité du mythe est donc constitutive de sa fonction, élaborant une constante ambiguïté qui découle de la nature des constituants du signifiant. En effet, en se reportant à la figure 2, on verra que le signifiant du mythe est à la fois *sens* et *forme*, selon qu'on se tourne vers l'amont ou vers l'aval. Ce point de départ du mythe (la forme) est donc en même temps un point d'arrivée (le sens), et l'alternance de l'une et l'autre de ces directions entretient l'amphibologie. Mais, d'un autre point de vue, la direction de la forme vide celle du sens : un signifiant a toujours tendance à la vacuité, du moins à sa prétention. Aussi la déformation qu'engendre le mythe est-elle beaucoup plus profonde qu'il n'y paraît, car ce passage de la dénotation vers la connotation s'accompagne d'une déperdition. Le mythe au sens classique du terme est éternel. Le mythe du sémiologue prétend à cette éternité, c'est-à-dire qu'il évacue l'aspect historique du système premier

(1) *Mythologies*, page 229.

sur lequel il se construit : « le mythe est constitué par la déperdition de la qualité historique des choses : les choses perdent en lui le souvenir de leur fabrication » (1). Dans la fausse opposition entre Nature et Culture (la nature elle-même n'est-elle pas culturelle?), le mythe prétend au naturel, c'est-à-dire qu'il fait semblant de se déshistoriciser, de se dé-politiser. C'est là le ce-qui-va-de-soi dont parlait Barthes dans sa préface, la fuite fonctionnelle de l'Histoire.

Formellement parasite, sémantiquement ambigu, le mythe a donc une fonction déformante : il distord l'histoire pour la mieux nier, il puise au culturel pour prétendre au naturel. Il sera ainsi le lieu privilégié de l'idéologie qui, culturelle par définition, ne peut survivre qu'en feignant le naturel. C'est là une tendance caractéristique du discours officiel par exemple qui, évidemment historique et contingent, procède par affirmations générales et définitives, par spécifications exclusives et policières (ceci *c'est* cela) pour se donner comme un label d'éternité. Le mythe se construit d'abord sur l'idée qu'il est définitif ; non historique. C'est là sa fonction première, qui procède de sa forme, comme nous l'avons vu, mais aussi de ses usages.

LE MYTHE ÉMIS

Il y a, pour Barthes, une géographie du mythe, des lieux privilégiés où l'espèce se reproduit à

(1) *Id.*, page 251.

l'aise. Ce sont les lieux d'où le mythe est émis, l'émission elle-même transformant d'ailleurs le lieu : non pas masque mais déformation, le mythe innocente, blanchit, purifie son émetteur. Ce dernier reste en effet toujours un *sens* qui se vide au profit d'une *forme* parasite, si bien que la *signification* anonymise ce sens. Le Staline des années 40 est une signification derrière laquelle disparaît le sens, c'est-à-dire le Staline réel, historique : le petit père des peuples est un mythe, son origine de chair et d'os est anonyme. Il en va de même lorsque l'émetteur est un groupe ou une classe : la représentation efface le réel. Ainsi de la bourgeoisie qui ne s'accepte pas comme fait politique et idéologique, ou du moins qui n'accepte pas de se parler en ces termes. « La bourgeoisie se définit comme la classe sociale qui ne veut pas être nommée », écrit Barthes (1). Et ce phénomène d'exnomination, cette hémorragie de sens au profit d'une signification, va définir de façon plus générale les lieux d'émission privilégiés. Anonymisant, dé-politisé, le mythe est statistiquement émis par la droite. « Là il est essentiel ; bien nourri, luisant, expansif, bavard, il s'invente sans cesse. Il saisit tout : les justices, les morales, les esthétiques, les diplomaties, les arts ménagers, la Littérature, les spectacles (2). »

Cette bourgeoisie est évidemment diverse (petite, moyenne...) et cette diversité devrait, selon Barthes, permettre une étude géographique plus fine de la répartition du mythe. Avec un sens de l'humour

(1) *Id.*, page 246.
(2) *Id.*, pages 257-258.

certain, il utilise à ce propos, lui qui est par ailleurs grand créateur de néologismes devant l'Éternelle Norme, des termes consacrés par la linguistique (« il est très possible de tracer ce que les linguistes appelleraient les isoglosses d'un mythe, les lignes qui définissent le lieu social où il est parlé », et plus loin : « faute de pouvoir encore établir les formes dialectales du mythe bourgeois... »), comme si le rapprochement mi-métaphorique et mi-motivé du mythe et de la langue devait y gagner en évidence. Cette dialectologie du mythe n'étant pas faite, Barthes se propose, comme en remplacement, de nous tracer une rhétorique du mythe, un ensemble de figures qui, au plan du signifiant, participent d'une vision historique du monde, celle de l'idéologie bourgeoise.

Rappelons tout d'abord ces figures :

1. La vaccine, 2. la privation d'histoire, 3. l'identification, 4. la tautologie, 5. le ninisme, 6. la quantification de la qualité, 7. le constat (1). Ces types, dont l'auteur précise bien qu'ils ne sont ni complets ni définitifs, sont des nuages que la bourgeoisie jette devant elle, comme la seiche se cache derrière son encre. Sous le nuage se cache l'aspect historique des productions idéologiques qui, ainsi filtrées, sont présentées comme naturelles, essentielles. Les hommes se voient alors proposer une image, une vision d'eux-mêmes, profondément datée mais prétendant à l'éternité. Ici encore réapparaît cette opposition chère à Barthes entre Nature et Culture, puisque cette éternité n'est au

(1) *Id.*, pages 259-264.

vrai que contingence : « Car la Nature dans laquelle on les enferme sous prétexte de les éterniser n'est qu'un Usage. Et c'est cet Usage, si grand soit-il, qu'il leur faut prendre en main et transformer (1). »

LE MYTHE REÇU

Ainsi le mythe englobe-t-il son récepteur dans ce processus de naturalisation. Il l'interpelle, l'agresse, s'impose à lui, mais se dérobe aussitôt que perçu, se retranche dans sa confortable ambiguïté : la forme étouffe et laisse percer le sens.

Il y a cependant là une ambiguïté non plus dans le mythe mais chez Barthes. La connotation est présentée comme intentionnelle du côté de l'émission :

« Nous savons désormais que le mythe est une parole définie par son intention (*je suis un exemple de grammaire*) beaucoup plus que par sa lettre (*je m'appelle lion*) (2). »

Mais sa perception est-elle consciente? Chaque fois que Barthes aborde le problème du décodage, il le fait en termes d'agression, de viol :

« Il vient me chercher pour m'obliger à reconnaître le corps d'intention qui l'a motivé (3). »

« Parole interpellative » (4), etc.

Le mythe est ici un appel, et les termes proches du même champ sémantique abondent : impératif,

(1) *Id.*, page 265.
(2) *Id.*, page 231.
(3) *Id.*, page 232.
(4) *Id.*, page 233.

notification, interpellatoire, invitation impérieuse, signal bref, indiscutable, adhomination, etc. Cette connotation est à l'évidence dérangeante, informative, mais elle ne paraît pas entrer vraiment dans le cadre d'un code, lequel impliquerait une possibilité de ré-émission. C'est là l'origine de la mauvaise querelle que Mounin a cherchée à Barthes (voir le chapitre 1) : si le récepteur ne peut pas à son tour devenir émetteur, le mythe n'est pas codifiable et la mythologie (ou la sémiologie) n'est pas susceptible des méthodes linguistiques.

Nous avons vu que cette critique reposait sur un postulat discutable (seule la communication est un fait linguistique) et que, pour Barthes, communication et signification étaient des phénomènes mêlés. C'est pourquoi le statut du récepteur est partagé. Il peut, d'un certain point de vue, *répondre*, mais seulement au niveau de la dénotation : *tu ne t'appelles pas lion*. Mais le mythe ne se prête pas au dialogue, il est toujours reçu, jamais émis par *un individu*. Ce point est important car il vient éclairer une notion généralement floue. Toute langue de dénotation est un phénomène social utilisable par l'individu qui peut recevoir ou émettre à sa guise. Mais il en va différemment pour une langue de connotation qui ne peut avoir d'émetteur que collectif, social. A gauche ou à droite, le mythe est toujours émis par un groupe, mais il s'adresse à chacun des individus pris séparément. D'où ce vocabulaire du viol que nous avons relevé : le récepteur plie sous le poids du mythe, l'émetteur est trop fort pour lui, il ne peut lutter à armes égales.

Une exception, pourtant, le mythologue. Son statut est singulièrement inconfortable, son insertion sociale étant sans cesse tiraillée entre la morale et le rire. Le liaison du mythologue au monde, note l'auteur, « est d'ordre sarcastique » (1). Mais son projet, tout entier de dévoilement, est profondément politique : dénoncer les fausses apparences d'aujourd'hui implique nécessairement que l'on postule un monde de demain. Mais cette politique est intransitive, elle ne change pas, elle parle la parole. Barthes a ici tendance à minimiser son rôle : « il ne peut vivre l'action révolutionnaire que par procuration (2) ». Mais cela consiste du même coup à raisonner sur une certaine acception du terme *politique*. Certes, la politique au sens courant n'est ni *éthique* ni *sarcasme*, deux pôles entre lesquels évolue le mythologue. Mais un certain nombre de conduites politiques peuvent se fonder sur la morale ou sur le sarcasme. La morale a souvent été la tentation d'un Jean-Paul Sartre, le sarcasme est depuis longtemps assumé par un Léo Ferré. Et Barthes est ici beaucoup plus du côté de Ferré que du côté de Sartre. Avec cette surface feutrée qu'impose l'art de l'écriture classique et une certaine déformation universitaire, il laisse parfois percer de timides accents anarchistes, lorsqu'il commente Saint-Just par exemple :

(1) *Id.*, page 266.
(2) *Id.*, page 265.

« Cette saisie subjective de l'histoire où le germe puissant de l'avenir *n'est que* l'apocalypse la plus profonde du présent, Saint-Just l'a exprimée d'un mot étrange : « *Ce qui constitue la république, c'est la destruction totale de ce qui lui est opposé.* » Il ne faut pas entendre ceci, je crois, au sens banal de « il faut déblayer avant de reconstruire ». La copule a ici un sens exhaustif : il y a pour tel homme une nuit subjective de l'histoire, où l'avenir se fait essence, destruction essentielle du passé (1). »

On rétorquera que Roland Barthes n'a, dans son comportement physique comme dans ses écrits, aucune apparence d'Anarchie. Mais l'Idée n'est pas seulement génératrice de comportements positifs, elle produit aussi des réactions de retrait. Et lorsque Barthes oppose Bourgeoisie et Révolution, on a toujours l'impression qu'il se situe au-delà de ce couple :

« De même que l'ex-nomination bourgeoise définit à la fois l'idéologie bourgeoise et le mythe, de même la nomination révolutionnaire identifie la révolution et la privation de mythe : la bourgeoisie se masque comme bourgeoisie et par là même produit le mythe ; la révolution s'affiche comme révolution et par là même abolit le mythe (2). »

La révolution vue par Barthes n'a donc rien de sarcastique, alors que le mythologue l'est pleinement.

(1) *Id.*, pages 266-267.
(2) *Id.*, page 255.

Ainsi *le mythe aujourd'hui* marque dans l'évolution barthienne une étape importante. Certes la volonté historique demeure : le mythe est décrit synchroniquement, *aujourd'hui*, ce qui ne s'oppose nullement à la démarche diachronique du *Degré zéro de l'écriture* mais la complète. Surtout, Barthes s'enrichit théoriquement et politiquement. Il entre définitivement dans la linguistique, comme on entre en religion, et précise mieux son rapport au politique. Car, si on a souvent souligné l'importance théorique du *Mythe aujourd'hui* (à tort, nous allons le voir plus loin), on a trop tendance à oublier que la description du mythe est inséparée du problème de sa localisation politique et de celui de son renversement. On retrouve ici cette diachronie barthienne que nous avons posée au début de ce livre. Déjà, sous Saussure à peine et mal assimilé, perce Brecht : « Il est sûr que... la mythologie est un *accord* au monde, non tel qu'il est, mais tel qu'il se veut faire (Brecht avait pour cela un mot efficacement ambigu : c'était l'*Einverständnis*, à la fois intelligence du réel et complicité avec lui) (1). » Mais en fait, la leçon de Saussure est encore superficiellement acquise. « Le mythe est un langage », écrit Barthes dans la préface des *Mythologies* et, au début du *Mythe aujourd'hui*, il pose : « le mythe est une parole ». Par-delà les flottements terminologiques, il y a là une ambiguïté profonde qui traverse tout le texte :

(1) *Id.*, page 265.

langage ou parole, code ou message ? « Le mythe est un système de communication, c'est un message », écrit-il plus loin, et les cartes sont encore plus brouillées pour le lecteur habitué à Saussure ou Shannon : message et système de communication (ou code) sont deux entités différentes, inégalables.

Nous avons tenté au chapitre précédent de montrer comment la pratique descriptive de Roland Barthes l'avait peu à peu mené à la nécessité du code, et donc à la phase théorique du *Mythe aujourd'hui*. Mais la théorie se révèle ici insuffisante. Si le mythe est un message, quel est le code de ce message (ou la langue de cette parole) ? Lorsque l'auteur explique que « le mythe est un système sémiologique » on s'attend à ce qu'il utilise un concept fondamental de la pensée saussurienne, celui de *valeur*, grâce à quoi la structure se constitue. Or il n'en est nulle part question. Les signes dont traite Barthes sont dans une dimension de profondeur : ils renvoient à un sens, mais ce sens n'est le produit ni de la dimension paradigmatique ni de la dimension syntagmatique. Le mythe, signe parasite, est aussi *un signe sans système*, du moins sans système formalisé. Et c'est, par-delà son intérêt, le grand échec du *Mythe aujourd'hui* : la construction théorique ne fournit pas encore un instrument heuristique réellement adéquat.

5

LES ESSAIS CRITIQUES :
BRECHT ET TROUBETZKOY

De 1953 à 1963, Barthes poursuit son activité de chroniqueur qui, après la matière des *Mythologies* (et parfois parallèlement à elle), va lui apporter celle des *Essais critiques*. Ses publications sont beaucoup plus dispersées que celles utilisées pour l'ouvrage précédent : les textes viennent des *Lettres Nouvelles* (deux), de *Critique* (sept), de *Théâtre populaire* (sept), d'*Arguments* (quatre), de *Bref*, bulletin du T. N. P. (un), de *France Observateur* (un), de *Tel Quel* (deux), de *Médiations* (un), du *Times Literary Supplement* (un), de *Phantomas* (un), de *L'Arc* (un), de *Modern Languages Notes* (un) et de préfaces à divers ouvrages. Ils confirment deux centres d'intérêt que nous avons vus percer de livre en livre (théorie du signe et sémiologie d'une part, littérature d'autre part) et en révèlent un troisième : le théâtre de Brecht. Barthes collabore en effet depuis 1953 à la revue *Théâtre populaire* qui est devenue, en France, le principal défenseur du dramaturge allemand décrié par les diverses droites.

Et ce théâtre est pour lui exemplaire, parce qu'il

manifeste la conjonction « d'une raison marxiste et d'une pensée sémantique : (Brecht) était un marxiste qui avait réfléchi sur les *effets du signe*, chose rare » (1). Indication précieuse pour qui tente de suivre le cheminement intellectuel et stratégique de Barthes : marxiste et sartrien aux origines, il a successivement emprunté à Brøndal, Saussure, Hjelmslev, parce que sa démarche même impliquait ces emprunts, nécessaires avant que d'être pratiqués. Le voici revenant au théâtre (Brecht après Racine), lourd de ses acquis théoriques et, après avoir dans le *Degré zéro de l'écriture* tenté de marxiser l'engagement sartrien il veut ici, du moins nous pouvons le poser en hypothèse, saussuriser le théâtre brechtien. Dans les deux cas, une pratique : celle de Sartre (affirmée dans les *Temps modernes*, appliquée dans le cycle romanesque des *Chemins de la liberté*) ou celle de Brecht (appliquée au théâtre, également affirmée dans les *Écrits* sur le théâtre) ; et une théorie que Barthes fait sienne : celle de Marx d'abord, celle de Saussure-Hjelmslev ensuite. Et la démarche consiste à dialectiser les deux composantes, à mettre la pratique en perspective théorique. Mais cela n'est jamais qu'une approche explicative (de Sartre, de Brecht) à la lumière d'une théorie (de Marx, de Saussure). Or, dans les deux cas aussi, la démarche est comme un miroir du retournement critique de Barthes sur lui-même : sa pratique descriptive est toujours théorisée, pour se nier ensuite, revenir à une nouvelle pratique, etc. (la séquence *Mytho-*

(1) *Tel Quel*, n° 47, page 95.

logies-Le mythe aujourd'hui-Essais critiques est, de ce point de vue, exemplaire). La pratique de Barthes, c'est donc la description, mais cette description, celle du théâtre de Brecht par exemple, est en fait à un second niveau la confrontation d'une théorie qu'il s'est forgée ou acquise (ici celle que manifeste *Le mythe aujourd'hui*) à une nouvelle pratique. Cette imbrication en trompe l'œil d'une série de couples théorie-pratique nous entraîne ainsi dans une étourdissante suite de remises en question : nous avons tout d'abord le couple pratique (l'article sur *L'Étranger* de Camus pendant la guerre)-théorie (*Le degré zéro*). Puis une nouvelle pratique (*Mythologies*) qui représente une mise en question et un élargissement du stade précédent et qui est théorisée à son tour dans *Le mythe aujourd'hui* (Saussure, Hjelmslev). Enfin ce nouveau couple est appliqué au théâtre brechtien, par ce qui constitue à la fois une nouvelle pratique (dont la théorie viendra plus tard : *Éléments de sémiologie*) et une mise à l'épreuve de la théorie précédente, etc.

Dans tous les cas, au long des pages des *Essais critiques*, c'est en effet une pensée sémiologique qui se cherche, qui cherche à développer les embryons de sémiologies que représentait *Le mythe aujourd'hui*. Barthes en est d'ailleurs conscient, qui annonce dès la préface : « Je puis bien parler aujourd'hui le brechtisme ou le nouveau roman (puisque ces mouvements occupent le premier cours de ces Essais) en termes sémantiques (puisque c'est là mon langage actuel) (1). » Sémiologie ou

(1) *Essais critiques*, page 9.

sémantique, c'est le signe qui est maintenant au centre de la problématique, et c'est d'une réflexion sur ce point que va naître le devenir de l'œuvre. Le signe, c'est-à-dire la *valeur* saussurienne, la structure : le mythe comme code imparfait va céder le pas à ce qu'il portait en germe : le système sémiologique.

LE SIGNE THÉÂTRAL

Et tout d'abord, le signe théâtral. Huit essais s'y rapportent, principalement consacrés à Brecht, mais aussi à Baudelaire, à la tragédie grecque, à Balzac. C'est cependant de Racine qu'il nous faut d'abord parler, car c'est à son propos que pour la première fois Barthes a traité de sémiologie théâtrale (1). L'acteur racinien fonctionne en effet pour lui depuis toujours sur un quiproquo qui fait de lui le lien entre deux univers : un univers psychologique (le personnage, dans sa complexité et dans sa profondeur) et un univers linguistique (le texte, le dialogue). Cette première erreur mène à en commettre une seconde : raisonner en termes d'analogie. Il y a, croit-on, parallélisme entre le discours d'un personnage et sa psychologie, parallélisme dont le vers est porteur et que l'acteur est chargé de manifester. D'où la diction propre à l'acteur racinien classique : il va accentuer certains mots, les mettre en valeur comme on souligne un passage dans un texte, et du même coup intervenir entre

(1) *Sur Racine*, 1960.

la pièce et le public. Car cette accentuation est un viol, elle consiste à penser à la place du spectateur, elle lui mâche la compréhension.

Les conséquences de cette double erreur et de ce jeu sont diverses. L'alexandrin, d'une part, est vidé de sa musique propre, car l'acteur le chante au lieu de le laisser chanter, lui impose un rythme (qu'il croit être celui de la psychologie du personnage) au lieu de manifester son rythme propre. Cette forme musicale par excellence est ainsi prise à contresens : elle devrait créer un distancement, introduire un écart entre signifiant et signifié, les acteurs tentent d'en faire un discours naturel. D'autre part, les acteurs ne se parlent plus, il n'y a plus de communication entre eux, ils parlent pour un public abstrait et lui imposent un certain rapport texte-personnage :

« L'acteur croit que son rôle est de mettre en rapport une psychologie et une linguistique, conformément au préjugé indéracinable qui veut que les mots *traduisent* la pensée (1). »

Et ce contresens, cette déviation vers la traduction, vient essentiellement pour Barthes du fait que l'acteur s'identifie au personnage alors qu'il doit renoncer « au prestige de la notion traditionnelle de *personnage* pour atteindre celle de *figure*, c'est-à-dire de forme d'une fonction tragique (2). »

Personnage ou figure, c'est là l'un des couples oppositifs qui définissent ce que Barthes appelle la *théâtralité*, concept qu'il propose pour la première fois à propos de Baudelaire. La théâtralité, « c'est

(1) *Sur Racine*, page 136.
(2) *Id.*, page 10.

le théâtre moins le texte, c'est une épaisseur de signes et de sensations qui s'édifie sur la scène à partir de l'argument écrit, c'est cette sorte de perception œcuménique des artifices sensuels, gestes, tons, distances, substances, lumières, qui submerge le texte sous la plénitude de son langage extérieur » (1). Et cette théâtralité fait défaut dans les quatre projets de pièces que nous a laissés Baudelaire (*Idéolus*, *La fin de Don Juan*, *Le marquis du 1er houzards*, *L'ivrogne*), les rares indications scéniques sont abstraites, immatérielles, conceptuelles, pour tout dire elle tiennent plus de la littérature que du théâtre. En outre, Baudelaire ne conçoit pas la mise en scène comme production mais comme réception, il la voit toute faite, avec les yeux du spectateur, il lui est extérieur, il la rêve et ne la construit pas. Ses textes s'en trouvent être plus proches du roman ou du cinéma à venir que du théâtre : « Les lieux itinérants, les flashback, l'exotisme des tableaux, la disproportion temporelle des épisodes, en bref ce tourment d'étaler la narration, dont témoigne le pré-théâtre de Baudelaire, voilà qui pourrait à la rigueur féconder un cinéma tout pur (2). » L'acteur de théâtre postulé par ces projets de pièces est un signe narratif, une fiction : il est du côté du *mensonge* et non pas de l'*artifice*.

Brecht sera précisément pour Barthes l'antithèse de ces deux tendances. Antithèse de l'acteur racinien, qui pense et analyse à la place du public, antithèse du signe baudelairien qui refuse l'artifice et du même coup le théâtre.

(1) *Essais critiques*, pages 41-42.
(2) *Id.*, page 45.

Ainsi de *Mère Courage*. Ce qui a le plus frappé Barthes dans une représentation du Berliner Ensemble à laquelle il a assisté (1955), c'est que le théâtre ici manifesté ne fait pas appel à l'assimilation : le spectateur n'est pas Mère Courage, il ne s'identifie pas à elle, *il la voit*. Mais elle, elle ne voit pas (d'où le titre de l'essai : « Mère Courage aveugle »). Elle est plongée dans la guerre, en subit les méfaits, mais elle est aveugle sur ses causes, aveugle sur le système. Et le spectateur *voit cet aveuglement*, il est en dehors, il est moins Mère Courage que son juge, plus extérieur qu'intérieur : il se distance. Le théâtre devient alors pédagogique, mais d'une pédagogie qui procède de la maïeutique. Mère Courage (aurait pu écrire Barthes) est un signe dont le personnage n'est que le signifiant. Et Brecht, donnant à voir, laisse aux spectateurs le soin de deviner les signifiés sous la forme, il n'impose rien. Il invite à une analyse mais n'analyse pas à la place du public. Et l'acteur brechtien est tout le contraire de l'acteur racinien traditionnel : il refuse de se faire signification.

Cette production de formes, de signifiants, apparaît bien sûr dans l'ensemble de la mise en scène. Barthes va l'étudier plus particulièrement à propos du costume de théâtre, dans un texte (« Les maladies du costume de théâtre ») qui, pour la première fois, est traversé par la double référence à Saussure et à Brecht. Le théâtre est un *gestus social*, c'est-à-dire « l'expression extérieure, matérielle, des conflits de sociétés dont (il) témoigne » (1). Et le costume,

(1) *Id.*, page 53.

entre autres éléments, a une fonction par rapport à ce gestus, ce qui nous fournit alors un critère de pertinence critique : « Tout ce qui, dans le costume, brouille la clarté de ce rapport, obscurcit ou falsifie le *gestus* social du spectacle, est mauvais ; tout ce qui, au contraire, dans les formes, les couleurs, les substances et leur agencement, aide à la lecture de ce *gestus*, tout cela est bon (1). » On voit donc l'orientation *fonctionnelle* qui apparaît ici, et elle va permettre à Barthes d'établir une liste des « maladies, des erreurs ou des alibis » du costume de théâtre :

— L'hypertrophie de la fonction historique (vérisme archéologique) : le costume conçu comme une addition de détails vrais disperse l'attention, alors que le bon costume est un fait visuel global.

— La maladie esthétique, hypertrophie d'une beauté formelle sans rapport avec la pièce.

— L'hypertrophie de la somptuosité ou de son apparence : c'est une maladie d'argent, hypertrophie de luxe ou plus souvent de toc, qui fait du costume un spectacle en soi.

Que doit donc être le costume ? Un *argument* et un *signe*. Mais le signe implique un code et Barthes, citant Brecht pour qui « on ne signifie pas l'usure d'un vêtement en mettant sur scène un vêtement réellement usé », en conclut que, pour se manifester, l'usure doit être majorée. C'est l'artifice dont nous parlions à propos de Baudelaire, un artifice calculé : rappelons-le, Brecht est pour l'auteur la conjonction d'une raison marxiste et d'une pensée séman-

(1) *Id.*, pages 53-54.

tique ; le signe est à la fois signe d'une analyse en amont de la pièce (l'analyse de l'auteur de théâtre) et signe pour une analyse en aval (celle à laquelle on invite le public).

La littérature est également présente à travers ces textes regroupés dans les *Essais critiques*, mais l'approche en est peut-être moins novatrice que celle du théâtre : Barthes ressasse son *Degré zéro de l'écriture*, le passe au filtre de ce qu'il a par ailleurs acquis comme certitudes, au filtre aussi des apports théoriques qu'il a glanés ci et là. Ainsi Voltaire, « le dernier des écrivains heureux », n'est jamais que le prototype d'une race qui va disparaître avec la révolution, celle des propriétaires exclusifs de la langue. Et Queneau, déjà présent dans le *Degré zéro*, est le prototype nouveau de ceux qui, à l'inverse des écrivains d'ancien régime, regardent l'objet qu'ils font en même temps qu'ils le font. Car, et c'est peut-être là l'apport nouveau, l'histoire de la littérature s'articule autour de cette charnière : le moment où l'objet produit devient aussi objet de regard. « Littérature et méta-langage », court texte de 1959, n'est à première lecture qu'un condensé cursif du *Degré zéro*. On y trouve cependant une insistance sur un point qui va devenir fondamental dans la pensée de Barthes et que nous venons d'évoquer à propos de Queneau : la littérature a pu croire un temps qu'il lui était loisible de ne pas réfléchir sur son être, elle vit aujourd'hui le temps de la duplicité, elle est « parole et parole de cette parole, littérature-objet et méta-littérature » (1).

La distinction proposée ensuite, dans un autre texte, entre *écrivains* et *écrivants*, est dans le droit fil de cette réflexion. Depuis la révolution française, la parole n'est plus le monopole exclusif des écrivains (rappelons-nous : Voltaire, le dernier des écrivains heureux), et l'appropriation de la langue par d'autres et à d'autres fins (des fins politiques en particulier) a entraîné l'apparition d'une dualité de fonction. Il y a ceux pour qui l'acte d'écrire est intransitif, ne débouche sur rien d'autre que lui-même : les écrivains. Et il y a aussi ceux pour qui l'acte d'écrire est transitif, n'est qu'un moyen vers autre chose : les écrivants. La parole du premier est un geste, un spectacle, un comportement, celle du second est une activité. La première n'a d'autre justification qu'elle-même, la seconde trouve sa justification ailleurs. Cette typologie est bien entendu grossière : on n'est jamais, note Barthes, franchement d'un côté ou de l'autre de cette dichotomie, on écrit certes *tout court* mais on écrit aussi *quelque chose*, « bref, notre époque accoucherait d'un type bâtard : l'écrivain-écrivant » (2). Mais ce qui importe surtout dans ce couple, c'est qu'il permet à l'auteur de préciser certains points du *Degré zéro*. Ainsi Queneau a produit avec *Zazie dans le métro* un objet double, se prêtant à deux lectures. L'ouvrage est un roman bien construit, classique, héritier d'une technique qui a fait ses preuves (unité de lieu, de temps, d'action) et peut donc se

(1) *Id.*, page 106.
(2) *Id.*, page 153.

lire comme tel. Mais il est aussi destruction de cette technique, refus de cet héritage, érosion, rire du roman. Et, surtout, cette destruction vient de l'intérieur : Queneau montre du doigt l'objet littérature en train de se faire. « C'est en cela que Queneau est du côté de la modernité : sa Littérature n'est pas une littérature de l'avoir et du plein ; il sait qu'on ne peut « démystifier » de l'extérieur, au nom d'une Propriété, mais qu'il faut soi-même tremper tout entier dans le vide que l'on démontre ; mais il sait aussi que cette compromission perdrait toute sa vertu si elle était *dite*, récupérée par un langage direct : la Littérature est le mode même de l'impossible, puisqu'elle seule peut dire son vide, et que le disant elle fonde de nouveau une plénitude. A sa manière, Queneau s'installe au cœur de cette contradiction, qui définit peut-être notre littérature d'aujourd'hui : il assume le masque littéraire, mais en même temps il le montre du doigt (1). »

On voit que Barthes n'avance ici que peu : son projet est tout de réinvestissement, il tente d'insuffler à l'analyse du *Degré zéro* (qu'il ne cite jamais) une richesse théorique supplémentaire, mais piétine ou plutôt se contente de préciser. En fait, il ne traite que de la *situation* de l'écrivain, de sa stratégie possible (celle de Queneau par exemple), mais ne traite pas de la littérature comme objet : il ne s'agit que de la littérature comme moment de fabrication.

(1) *Id.*, page 131.

Sa difficulté est d'ordre taxinomique : il n'arrive pas à classer, n'arrive pas même à accomplir l'opération immédiatement antérieure, celle de la segmentation. Et les deux interviewes à la revue *Tel Quel* (« La littérature aujourd'hui », 1961, « Littérature et signification », 1963) reproduites dans les *Essais critiques*, témoignent de cette difficulté : la littérature y est toujours abordée du point de vue de la situation de l'écrivain, et jamais comme un système susceptible d'une analyse structurale. Cet au-delà du langage, ce parti-pris historique que représente pour lui l'écriture, Barthes n'a pas encore le moyen de le décrire de façon exhaustive, il ne peut que gauchir son impact : c'est un problème d'écrivain et non pas de sémiologue.

Le théâtre, grâce à Brecht, a affirmé son statut sémantique, certains ensembles (la nourriture, le vêtement) sont à l'évidence des systèmes sémiologiques. Mais la littérature résiste, et Barthes croit savoir pourquoi : elle dérive d'un système déjà signifiant, la langue, ce qui augmente la complexité de l'analyse. Mais cette localisation de la difficulté est en fait illusoire : l'auteur en viendra plus tard à affirmer que la langue est toujours, à un niveau ou à un autre, sous n'importe quel système sémiologique. Et la difficulté réelle est de méthode : comment segmenter, comment classer. C'est pourquoi la réflexion qui apparaît dans certains textes des *Essais critiques* sur le problème du signe est fondamentale.

Difficultés de méthode et d'analyse, donc, c'est-à-dire difficulté à mener une certaine *activité taxinomique*. Le structuralisme est en effet pour Barthes une activité consistant à recréer un objet, à le reconstituer, en lui attribuant un ensemble de fonctions qui en explique la mécanique, qui en propose un fonctionnement. « La structure est donc en fait un s*imulacre* de l'objet, mais un simulacre dirigé, intéressé, puisque l'objet imité fait apparaître quelque chose qui restait invisible, ou si l'on préfère, inintelligible dans l'objet naturel (1). » Et Barthes ajoute plus loin : « L'activité structuraliste comporte deux opérations typiques : découpage et agencement. Découper le premier objet, celui qui est donné à l'activité de simulacre, c'est trouver en lui des fragments mobiles dont la situation différentielle engendre un certain sens ; le fragment n'a pas de sens en soi, mais il est cependant tel que la moindre variation apportée à sa configuration produit un changement de l'ensemble (2). »

On aura deviné ici (et elle est explicite dans le reste du texte, « l'activité structuraliste ») l'influence de Troubetzkoy. Pour la première fois en effet, Barthes aborde le problème du signe en termes *différentiels*. Le terme est emprunté à Saussure, mais tout le passage cité est profondément saussurien. On pense par exemple à ces extraits :

(1) *Id.*, page 214.
(2) *Id.*, page 216.

81

« Ce qui importe dans le mot, ce n'est pas le son lui-même, mais les différences phoniques qui permettent de distinguer ce mot de tous les autres, car ce sont elles qui portent la signification (1). »

« Tout ce qui précède revient à dire que *dans la langue il n'y a que des différences* (2). »

Barthes, par-delà cette pénétration de la pensée saussurienne, a maintenant un certain nombre de modèles : la phonologie de Troubetzkoy, la mythologie de Lévi-Strauss, la peinture de Mondrian témoignent d'une activité commune, structurale, et sont susceptibles d'une analyse commune qui dégagerait des fonctions, des traits pertinents oppositifs, bref une structure. Le phonème de Troubetzkoy et le carré de Mondrian ont réagi sur lui comme un stimulant unique, lui ont fourni l'idée de l'unité différentielle. Le modèle étant posé, il reste à découper ces unités oppositives qui ne doivent rien à elles-mêmes mais tout à leurs différences. Et déjà, dans un texte immédiatement antérieur, « l'imagination du signe », Barthes avait posé ce problème de l'unité sémiologique et des rapports qu'elle entretient avec d'autres unités. Il y a chez *l'analyste* du signe, explique-t-il, trois consciences sémiologiques possibles :

— La conscience symbolique, qui voit le signe dans sa dimension profonde : c'est l'étagement du signifiant et du signifié qui constitue le symbole (le christianisme est *sous* la croix), le terme *symbole* n'étant pas pris ici au hasard mais renvoyant à toute une vision pré-structurale.

(1) *Cours de linguistique générale*, page 163.
(2) *Id.*, page 166.

— La conscience paradigmatique, qui apparaît dès lors que deux (ou plusieurs) signes sont comparés ou perçus en opposition. Ainsi la *croix rouge* perçue et analysée en opposition au *croissant rouge*, avec la mise au clair de ce qu'il y a de commun et de différent à ces deux unités.

— Enfin la conscience syntagmatique, conscience des rapports unissant les signes entre eux au plan du discours.

Barthes présente la « conscience symbolique » avec une certaine ironie et souligne surtout ce fait qu'établissant un rapport vertical, elle ne peut que créer des unités isolées, des symboles, sans rapports entre eux, ce qui rend impossible toute vision structurale.

Mais cette vision verticale, en profondeur, du signe, ici rejetée, constitue une autocritique fondamentale car c'est elle qui a fait du *Mythe aujourd'hui* l'échec que nous avons signalé. On se souvient que Barthes y utilisait les notions de signifiant et de signifié, puis celle de connotation, ce qui lui permettait de présenter un étagement du signe de la langue puis du signe du mythe. Mais nulle allusion n'y était faite au paradigme, à la définition réciproque des unités par leurs différences. Et si, comme je le postulais, le mythe y était constitué de signes sans système, c'est précisément parce qu'il était saisi dans ce rapport vertical, du parasite vers le parasité, en une vision qui occultait le rapport paradigmatique, nécessaire à la constitution de la structure. C'est donc là, entre 1962 et 1963, dans « l'imagination du signe » et « l'activité structuraliste », qu'apparaît la révolution interne de Barthes.

La sémiologie, jusqu'alors postulée, va pouvoir se constituer réellement, à partir d'un modèle heuristique qui, empruntant successivement à Saussure, Hjelmslev, Lévi-Strauss, Propp, Troubetzkoy surtout, d'autres encore, permet dorénavant de passer à la description sémiologique concrète. L'échec relatif de la sémiologie littéraire est momentanément enterré et, muni de ce bagage nouveau, Barthes entre alors dans une période de scientificité dont le *Système de la mode* et les *Éléments de sémiologie* seront les meilleurs témoins.

6 LE SYSTÈME DE LA MODE

« La phonologie expressive peut être comparée à l'étude du costume en ethnographie. La différence entre hommes gros et maigres, ou entre grands et petits, est essentielle pour le tailleur qui doit réaliser pratiquement un costume déterminé. Mais du point de vue ethnographique ces différences sont tout à fait sans importance : seules importent les formes du costume établies conventionnellement. Les vêtements d'un homme désordonné sont sales et fripés ; chez un homme distrait tous les boutons ne sont pas toujours boutonnés, — mais tous ces symptômes sont sans importance pour l'étude ethnographique du costume. Par contre l'ethnographie s'intéresse à des particularités encore plus petites : par exemple, en quoi, selon la coutume existante, le costume de la femme mariée se distingue de celui de la jeune fille, etc. Les groupes humains qui sont caractérisés par des différences de vêtement importantes ethnographiquement sont souvent à peu près les mêmes qui sont distingués par des particularités linguistiques : les deux sexes, les classes d'âge, les classes ou les situations sociales, les classes de culture, les citadins et les paysans, et enfin les groupes locaux » (N. Troubetzkoy, *Principes de phonologie*, page 19).

Roland Barthes, en lisant les *Principes de phonologie* qui furent pour lui, nous l'avons signalé, l'initiation à la phonologie et, à travers celle-ci, à un certain structuralisme, a rencontré le passage ci-dessus et une référence de Troubetzkoy à une étude de P. Bogatyrev, « Funkcie Kroja na Moravskom Slovensku » (Fonction du vêtement en Slovénie morave). Est-ce cette rencontre qui l'a mené à s'intéresser au vêtement puis à la mode ? Peut-être. Toujours est-il qu'il publie à partir de 1957 quelques articles (jamais repris en recueil) sur ce thème : « Histoire et sociologie du vêtement » (1957), « Langage et vêtement » (1959), « Tricots à domicile » (1959). D'ailleurs, au dire même de l'avant-propos du *Système de la mode*, son travail « a été commencé en 1957 et terminé en 1963 » (1), ce qui correspond à peu près à la même période.

Mais le court passage de Troubetzkoy comme l'étude de Bogatyrev concernent le vêtement matériel, en tant qu'il est porté et que ce port se fait signifiant d'autre chose. Il y a ici deux ensembles, deux classes qui se fournissent l'une l'autre des critères pertinents d'organisation : la classe des vêtements et celle des groupes humains, classes sociales, etc. (l'existence de telles classes liées par

(1) *Système de la mode*, page 7.

une telle relation est d'ailleurs une loi générale des systèmes sémiologiques ou sémantiques). Nous allons voir que le point de départ de Barthes, même s'il a été stimulé par ces analyses trouvées ailleurs, n'est pas tout à fait du même type : ce n'est pas le *vêtement porté* qui va le retenir mais le *vêtement parlé*.

Le *Système de la mode* est, on l'a souvent répété, un livre méthodologique, il s'ouvre d'ailleurs sous ce signe : « Une méthode s'engage dès le premier mot ; or ce livre est un livre de méthode ; il est donc condamné à se présenter tout seul (1). » Ce qui nous frappera plus que cette exigence méthodologique (nous avons déjà vu Barthes intéressé par des problèmes de méthode), c'est qu'ici pour la première fois dans sa diachronie, *méthode* et *application* (théorie et pratique) se trouvent présentées conjointement. Jusqu'ici, en effet, les tentatives de théorisation suivaient les pratiques descriptives, elles étaient des haltes théoriques, des regards en arrière. Mais le *Système de la mode* n'est pas un livre qui regroupe une pratique antérieure, c'est un livre total, complet, et, pour la première fois encore, la théorie vient *avant* la pratique.

Dans cette présentation de ses principes méthodologiques, Barthes affirme, bien sûr, son obédience saussurienne (Saussure n'est-il pas celui qui a postulé la sémiologie), mais il s'en sépare sur un point

(1) *Id.*, page 2.

qui sera plus tard assumé plus fortement dans les *Éléments de sémiologie* et qui fera bondir Mounin et d'autres. Saussure en effet, lorsqu'il parlait de sémiologie, la concevait comme englobant la linguistique. Le *Cours de linguistique générale* nous a laissé une trace de cette vision :

« On peut concevoir *une science qui étudie la vie des signes au sein de la vie sociale*... nous la nommerons *sémiologie*... la linguistique n'est qu'une partie de cette science générale (1). » Et cette conception ne date pas de l'époque des cours à Genève : Saussure avait pensé à la sémiologie (et l'avait baptisée) plusieurs années auparavant, si l'on en croit du moins Adrien Naville (doyen de la faculté des lettres de Genève) qui écrivait en 1901 dans la *Nouvelle classification des sciences* :

« M. de Saussure insiste sur l'importance d'une science très générale, qu'il appelle *sémiologie* et dont l'objet serait les lois de la création et de la transformation des signes et de leur sens. La sémiologie est une partie essentielle de la sociologie. Comme le plus important des systèmes de signes c'est le langage conventionnel des hommes, la science sémiologique la plus avancée c'est la linguistique... (2). » On voit donc que dans ses conversations avec Naville avant 1901 comme dans ses cours après 1906, Saussure concevait la linguistique comme partie de la sémiologie. Or, dans l'avant-propos du *Système*, Barthes suggère le contraire : « il faut donc peut-être renverser la formulation de Saussure et affirmer que c'est la sémiologie qui est partie de la linguis-

(1) *Cours de linguistique générale*, page 33.
(2) Naville, *Nouvelle classification des sciences*, page 103.

tique : la fonction essentielle de ce travail est de suggérer que, dans une société comme la nôtre, où mythes et rites ont pris la forme d'une *raison*, c'est-à-dire en définitive d'une parole, le langage humain n'est pas seulement le modèle du sens mais aussi son fondement (1). » Ce point qui, répétons-le, sera affirmé de façon plus dogmatique et avec une portée plus générale dans les *Éléments de sémiologie*, est un des principaux acquis théoriques du *Système de la mode*, auquel il nous faut maintenant venir.

Décrire, c'est d'abord cerner son objet de description, au point qu'une discipline quelconque ne saurait être considérée comme scientifique si, à la question « cet élément appartient-il à votre domaine d'étude ? » elle ne peut répondre par oui ou par non. Décrire le vêtement, c'est bien sûr d'abord décrire un matériau, une forme effectivement portée par un certain nombre de personnes : c'est là l'opération suggérée par Troubetzkoy dans le passage cité en tête de ce chapitre, elle concerne ce que Barthes appelle le *vêtement réel*. Mais le vêtement ne nous est pas seulement transmis par la perception que nous avons des gens dans la rue. Ouvrons un journal de mode, nous y trouvons une multitude de photos ou de dessins de vêtements, c'est le *vêtement-image*. Et ces photos, ces dessins, sont le plus souvent légendés, sous-titrés, transformés en langage : c'est le *vêtement écrit*. Trois niveaux de vêtement,

(1) *Système de la mode*, page 9.

donc, les deux derniers dérivant du premier par une série d'opérations, de transformations qui assurent le passage d'une structure technologique (le vêtement réel) vers une structure iconique (vêtement-image) ou verbale (vêtement écrit). Ce passage est donc assuré par des « embrayeurs » qui nous mènent du vêtement réel à la photo, du vêtement réel au vêtement écrit et de celui-ci à la photo : Barthes les baptise *shifter*, empruntant à Jakobson un terme dont il gauchit sensiblement le sens puisque pour Jakobson le *shifter* est une unité de code qui renvoie au message (1). En fait, ce terme est très largement employé dans la littérature linguistique, avec une dispersion de sens assez nette. Pour certains, il s'agit d'un ensemble de mots dont le sens varie selon la situation et qui n'ont pas de sens hors contexte (c'est-à-dire, grosso modo, des déictiques). C'est le sens où l'entend O. Jespersen, à qui, selon N. Ruwet, Jakobson a emprunté le terme (2). Pour Jakobson, cependant, le shifter est un élément de code qui « renvoie obligatoirement au message ». Barthes, dans une note, le comprend un peu différemment : « Jakobson réserve le nom de *shifter* aux éléments intermédiaires entre le code et le message » (3) et en propose pour sa part une autre compréhension : ce qui permet de passer d'un code à un autre code. Il est clair que le sens barthien du texte n'a plus rien à voir avec le sens de Jespersen ou celui de Jakobson, mais ce mode d'emprunt-distorsion est assez caractéristique de la façon dont

(1) *Essais de linguistique générale*, page 179.
(2) *Id.*, page 178, note du traducteur.
(3) *Système de la mode*, page 16.

opère généralement l'auteur. Lisant les *Essais de linguistique générale* au moment où son travail sur la mode est pratiquement terminé (l'ouvrage est traduit en 1963 et Barthes déclare avoir achevé le *Système* en 1963), il y trouve, à propos d'un problème qui ne le concerne pratiquement pas (le verbe russe), cette notion d'embrayeur (c'est la traduction que Ruwet adopte pour *shifter*) qui le séduit sans doute et qui lui paraît pouvoir s'appliquer à la pluralité des structures vestimentaires qu'il a dégagées. Les *shifters* feront donc passer du *vêtement réel* au *vêtement écrit* ou au *vêtement-image*, et vice versa. Le processus d'emprunt-distorsion qui apparaît ici est sympathique car on a l'impression que subitement une indication, un passage, une citation, un mot peuvent lancer Barthes sur une nouvelle piste, dans une nouvelle voie. Et l'erreur serait ici, en vieux linguistes grognons, de protester : « Mais ça n'a pas de sens, voyons, un *shifter* ce n'est pas ça », ce qui témoignerait à la fois d'un total manque d'humour (je crois décidément que Barthes s'amuse beaucoup avec la terminologie et jouit aux néologismes) et d'une curieuse conception de l'arbitraire du signe : n'a-t-on pas le droit, après tout, dès lors qu'on précise ses termes, d'employer n'importe quel mot pour désigner n'importe quoi...

Ces « shifters » sont donc, en l'occurrence, au nombre de trois :

— Le « patron » qui permet de passer du *vêtement réel* au *vêtement-image*.

— La « recette ou programme de couture » qui permet de passer du *vêtement réel* au *vêtement écrit*.

— Les anaphoriques (c'est-à-dire, de façon générale, les éléments renvoyant à un autre élément présent dans le message) qui permettent de passer du *vêtement écrit* au *vêtement-image*.

Prenons par exemple un tailleur en tweed. Porté, il constitue un vêtement réel. Le « patron » permettra de passer au dessin de mode ou à la photo. C'est une « recette » qui nous mènera au vêtement écrit : *Tailleur en tweed au-dessus du genoux pour le week-end*, et c'est un procédé anaphorique qui renvoie du vêtement écrit à l'image (présentée simultanément dans le journal).

QUEL CORPUS ?

Ceci étant posé, quel est le domaine que le descripteur va se donner comme corps d'étude ? Les trois structures définies ci-dessus (vêtement réel, écrit, image) sont toutes susceptibles d'une description, mais chacune implique une démarche spécifique, ce qui force au choix. En outre, souligne Barthes, le vêtement représenté (dans le journal de mode) présente l'avantage d'offrir une synchronie pure alors que le vêtement porté est toujours baigné de diachronie, ce qui serait une raison pour l'exclure. Enfin, entre *vêtement écrit* et *vêtement-image*, c'est le premier qu'on choisira, pour des raisons de pureté structurale :

« Le vêtement réel est embarrassé des finalités pratiques (protection, pudeur, parure) ; ces finalités disparaissent du vêtement « représenté », qui ne sert plus à protéger, à couvrir ou à parer, mais tout au plus à signifier la protection, la pudeur ou la parure ; le vêtement-image garde pourtant une valeur qui risque d'embarrasser considérablement l'analyse et qui est sa plastique ; seul le vêtement écrit n'a aucune fonction pratique ou esthétique : il est tout entier constitué en vue d'une signification : si le journal décrit un certain vêtement par la parole, c'est uniquement pour transmettre une information dont le contenu est : *la Mode* (1). »

Le *vêtement écrit* étant donc retenu comme structure à décrire, cela ne signifie nullement que l'analyse sera purement linguistique. Certes, l'objet est ici linguistique, mais il ne s'agit pas de trouver dans le *vêtement écrit* un sous-système de la langue (qu'on confronterait au système général), il s'agit d'y trouver un système, le vêtement, ici pris en charge par la langue mais constituant déjà un système signifiant avant l'intervention de celle-ci. L'objet de la description, à travers le *vêtement écrit*, c'est d'abord le vêtement.

Nous venons de voir qu'une des raisons pour lesquelles le *vêtement réel* était éliminé du domaine d'étude était qu'il n'offrait pas une synchronie pure, qu'il était toujours entre une synchronie et une diachronie. Mais comment se donner maintenant un corpus de *vêtement écrit* qui offre une synchronie pure ? Tout d'abord, la Mode nous fournit elle-même une synchronie : changeant chaque année, elle offre à l'observateur une suite de coupes synchroniques discontinues. Il suffit alors de choisir l'une de ces coupes, au hasard ou presque, puis dans

(1) *Id.*, page 18.

le cadre de cette coupe, de prendre un certain nombre de supports (c'est-à-dire des journaux de mode). Barthes choisit de travailler sur la période qui va de juin 1958 à juin 1959 et de dépouiller de façon exhaustive deux journaux, *Elle* et le *Jardin des modes*, en élargissant parfois son corpus en puisant à d'autres sources : *Vogue*, l'*Écho de la Mode* et certains quotidiens. Le corpus est alors délimité et ne saurait s'enrichir d'autres apports :

« La règle préalable, qui détermine la constitution du corpus à analyser, est de ne *retenir aucun autre matériau que la parole qui est donnée par le journal de Mode*. C'est là sans doute restreindre considérablement les matériaux de l'analyse ; c'est d'une part supprimer tout recours aux documents annexes (par exemple les définitions d'un dictionnaire), et d'autre part se priver de toute la richesse des photographies... Mais cet appauvrissement du matériau, outre qu'il est méthodologiquement inévitable, a peut-être sa récompense : réduire le vêtement à sa version orale, c'est du même coup rencontrer un problème nouveau, que l'on pourrait formuler ainsi : *qu'est-ce qui se passe lorsqu'un objet, réel ou imaginaire, est converti en langage?* (1) ».

Cette minutie dans la constitution du corpus est typique de cette période de scientificité que j'annonçais à la fin du précédent chapitre : Barthes avance pas à pas, comme assurant ses arrières. Et il suit une démarche inspirée, une fois de plus, de la linguistique : André Martinet a publié en 1960 ses *Éléments de Linguistique Générale* que Barthes

(1) *Id.*, page 22.

a lus (il les cite) et, dans un chapitre consacré à la « description linguistique », il énonce un certain nombre de problèmes relatifs à la description : « synchronie et diachronie », « variété des usages », « le corpus », « la pertinence », « choix et fonction », etc. (1). Or, Barthes suit point à point cette progression : il choisit de travailler en synchronie, se donne un corpus qui englobe le maximum de différences (ou de variété d'usages), aborde ensuite, nous allons le voir, le problème des fonctions, etc. Ceci est d'autant plus remarquable que l'œuvre de Barthes ne nous avait pas habitués jusqu'ici à tant de minutie et de précision. Qu'il s'agisse de la littérature (*Degré zéro de l'écriture*), du catch (*Mythologies*) ou du théâtre (*Essais critiques*), il n'avait pas pris cette peine de limiter si précisément son champ d'intervention, il ne se demandait jamais si l'objet décrit était représentatif, et de quoi. Il y a donc là un tournant important, une volonté de « sérieux » quasi universitaire (il est vrai que l'auteur a songé un temps à faire du *Système de la mode* sa thèse). Tournant donc, puisque Barthes entre définitivement dans la science, mais non pas rupture. Car aucune des préoccupations antérieures n'est ici abandonnée. Nous le verrons tout au long de ce chapitre et nous en avons déjà ici un exemple : celui de la littérature qui revient sous la Mode. L'auteur souligne en effet que son choix du vêtement écrit a, entre autres avantages, celui de poser un « problème nouveau » : que se passe-t-il quand un objet est converti en langage ? Mais, justement,

(1) *Éléments de linguistique générale*, pages 36-40.

la littérature est pour lui conversion de l'expérience humaine en langage, et l'analyse du système de la mode, outre son intérêt propre et sa propre visée scientifique, pourrait donc faciliter la résolution d'un problème mal résolu, celui de l'analyse de l'objet littérature dont nous avons suggéré au chapitre 5 qu'elle était, momentanément, un échec.

QUELLES FONCTIONS ?

Le *vêtement écrit* et la littérature ont donc en commun de décrire. Et le langage de mode, par le biais de ce shifter-anaphorique que nous avons signalé, renvoie essentiellement au *vêtement-image* co-occurrent, remplissant face à lui un certain nombre de fonctions.

Le langage est d'abord un guide de lecture de l'image : face à un vêtement iconique qui offre plusieurs niveaux de lecture ou d'intelligibilité, les syntagmes qui constituent le *vêtement écrit* orientent la perception, privilégient un niveau par rapport aux autres, imposent un choix. L'image a un sens incertain parce qu'elle est remplie de sens possibles, et le langage immobilise l'œil sur l'un d'entre eux.

Le langage apporte en outre un savoir particulier, il révèle un détail particulier que l'image ne livre pas ou ne livre pas avec suffisamment de précision. Qu'il s'agisse du tissu, de sa souplesse, de sa couleur (surtout lorsque l'image est en noir et blanc), il complète, il est porteur de connaissance.

Enfin le langage est redondant par rapport à l'image, il souligne un trait évident en elle (jupe plissée, manteau près du corps), apporte une information que l'image apporte déjà mais, du même coup, la relance, lui sert de tremplin.

Ces trois fonctions (« immobilisation des niveaux de perception », « connaissance », « emphase », pour reprendre les termes de Barthes) constituent donc cette opération de description du vêtement qui, elle-même, constitue la Mode. Car le *vêtement-image* est pluriel, il est à la fois forme et couleur, attrayant ou curieux, et bien sûr *à la mode*. Tandis que le *vêtement écrit* est *la Mode*. Pour mieux cerner cette différence, l'auteur utilise la distinction saussurienne entre *langue* et *parole*. « Nous avons d'abord distingué, au sein du phénomène total que représente le *langage*, deux facteurs : la *langue* et la *parole*. La langue est pour nous le langage moins la parole. Elle est l'ensemble des habitudes linguistiques qui permettent à un sujet de comprendre et de se faire comprendre », lit-on dans le *Cours de Linguistique Générale* (1) et Martinet, dont nous avons déjà signalé que Barthes l'a lu, précise cette distinction : « L'opposition, qui est traditionnelle, entre *langue* et *parole*, peut aussi s'exprimer en terme de *code* et de *message*, le code étant l'organisation qui permet la rédaction du message et ce à quoi on confronte chaque élément d'un message pour en dégager le sens (2). » Barthes puise à ces deux sources pour préciser les rapports entre *vêtement écrit* et *vêtement oral*. Dans la dichotomie langue-parole (ou code-message), le *vêtement écrit* est du côté de la langue, « il dispose d'une pureté

(1) *Cours de linguistique générale*, page 112.
(2) *Éléments de linguistique générale*, page 30.

structurale qui est à peu près celle de la langue par rapport à la parole » (1), tandis que le *vêtement-image* est du côté de la parole, il est proféré momentanément et manifeste la Mode, ce code dont il est un des messages.

Reste, bien sûr, à décrire ce code, c'est-à-dire, en bonne orthodoxie structuralo-barthienne, à se livrer à cette activité de *simulacre* dont nous avons déjà parlé, activité pour laquelle l'auteur se propose d'adopter un modèle offert par la linguistique : la *commutation*.

LES CLASSES COMMUTATIVES

Cette commutation, que Barthes a sans doute vue mise en pratique pour la première fois dans la phonologie de Troubetzkoy, consiste comme on sait à faire jouer dans le couple sens-forme une des deux composantes pour cerner ce qui se passe alors dans l'autre, c'est-à-dire à segmenter : chercher quelle modification formelle entraîne une variation sémantique, et vice versa. L'opération de commutation permet donc de dégager des unités minima (pour ensuite les structurer, ce sera le *simulacre*), mais, ce faisant, elle dégage aussi des variations corrélatives de celles de ces unités. C'est-à-dire qu'elle détermine des *classes commutatives*, des couples d'ensembles dont l'un ressortira toujours à l'objet décrit et l'autre à une certaine pertinence (en phonologie : le sens).

(1) *Système de la mode*, page 28.

Barthes dégage ainsi deux couples de classes commutatives. Le premier couple met en rapport le vêtement au monde, l'une des classes contenant des traits vestimentaires (long, court, doublé, réversible...) et l'autre des traits caractériels (sage, coquin, amusant...) ou circonstanciels (soir, week-end, shopping...). Ainsi, dans des énoncés comme :

Pour le déjeuner de fête à Deauville, le canezou douillet

ou

Les imprimés triomphent aux courses

Courses et *Déjeuner de fête à Deauville* font partie de la classe « Monde » tandis qu'*Imprimés* et *Canezou douillet* font partie de la classe « Vêtement ». Cette commutation, qui est une opération paradigmatique, est parfois manifestée syntagmatiquement dans le *vêtement écrit*, offerte à l'œil :

Ce cardigan long est sage lorsqu'il n'est pas doublé et amusant lorsqu'il est réversible.

Nous avons en effet ici de façon explicite l'apparition de la commutation et des deux classes commutatives postulées :

Classe « vêtement »	Classe « monde »
pas doublé	sage
réversible	amusant

dans lesquelles la lecture horizontale (pas doublé-sage) constitue l'axe syntagmatique, et la lecture verticale (pas doublé-réversible, ou sage-amusant) constitue l'axe paradigmatique, dans lequel opère la commutation. Ce qui importe ici le plus, du point de vue méthodologique, c'est qu'une commutation opérée dans l'une ou l'autre des classes (l'un ou l'autre des paradigmes) a pour répercussion une commutation corrélative dans l'une ou l'autre, répercussion qui se manifeste dans le syntagme ici présenté.

Le second couple de classes commutatives postulées par Barthes met en rapport le vêtement à la Mode, mais la classe « Mode » ne fonctionne que sur une opposition binaire, modé-démodé, alors que les autres classes contiennent un nombre important de traits. Dans le premier cas (vêtement-monde) les traits sont toujours explicites dans la phrase, dans le second cas (vêtement-Mode), le trait mode est le plus souvent implicite, il va de soi ; dans les deux cas, le trait vêtement est toujours présent.

Nous sommes donc confrontés à deux ensembles : un ensemble vêtement-monde et un ensemble vêtement-Mode, et le corpus sera totalement exploré lorsqu'on aura fait la liste des énoncés appartenant à chacun de ces ensembles.

Dans chaque couple de classes, la relation qui unit les éléments corrélatifs est une relation d'équivalence : le vêtement est là *pour* telle ou telle circonstance ou *pour* la mode, *il sert à tel usage*, *il est à la mode*, ce qui oriente le travail vers la recherche d'un *code vestimentaire* dans lequel le vêtement serait du côté du signifiant et le monde ou la Mode du côté du signifié. Le signe ainsi postulé ne sera totalement décrit que lorsqu'il aura été replacé dans une structure, puisqu'un signe n'existe que dans les différences qu'il entretient avec d'autres signes. Le rapport du signifiant au signifié (la lecture en profondeur du signe, que

Barthes avait rejetée dans « l'imagination du signe ») n'est qu'un problème de symbolique, seuls les rapports différentiels, la lecture paradigmatique, fondent la structure. Mais il demeure que la pluralité des ensembles en jeu oblige tout d'abord à cette analyse en profondeur, pour démêler l'étagement des différents systèmes. Ce à quoi Barthes va tout d'abord s'attacher.

LES NIVEAUX DE SIGNIFICATION

Les deux ensembles dégagés et que l'auteur baptise ensemble A (les classes commutatives « vêtement » et « monde ») et ensemble B (les classes commutatives « vêtement » et « Mode ») sont en effet traversés par deux systèmes, l'un linguistique (l'énoncé, ici l'énoncé en français) et l'autre vestimentaire (qui regroupe les ensembles A et B). Barthes va essayer de présenter les rapports entre ces systèmes en améliorant le schéma de la connotation que, nous l'avons vu, il avait emprunté à Hjelmslev pour le *Mythe aujourd'hui*. Reprenant les termes du linguiste danois, il parle maintenant *expression* et *contenu* (en lieu et place de *signifiant* et *signifié*, mais ces deux derniers termes reviennent parfois dans son texte) et présente alors un système sémiologique comme une relation entre expression et contenu, soit ERC. Nous avons dans ce premier cas une langue de dénotation. Mais cette langue peut devenir le plan de l'expression d'un nouveau système (ERC)RC, ce qui nous donne une langue de connotation, ou le plan du contenu d'un autre système (ERC)RE, ce qui nous donne une métalangue. La formalisation que visualise la figure ci-dessous n'est donc pas, pour l'instant, très différente de celle que nous avions trouvée dans le *Mythe aujourd'hui*, on y retrouve le même procédé de parasitage des systèmes décrochés. La seule innovation est que Barthes oppose bien ici la connotation au métalangage : il est vrai qu'il va par la suite largement utiliser cette opposition.

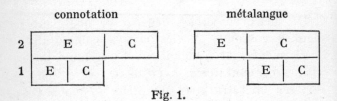

Fig. 1.

Mais la présentation va maintenant se compliquer, si l'on considère la possibilité de coexistence de plus de deux systèmes, ce qui introduirait comme point de départ du schéma précédent (dénotation-connotation) un code extra-linguistique que les autres systèmes parleraient. On aura donc au premier niveau un code d'objet qui constituera le contenu d'un langage articulé (métalangage) qui lui-même sera l'expression d'un nouveau langage articulé (connotation). Le premier niveau est baptisé *code réel*, le second *système terminologique* et le troisième *système rhétorique* :

3. *Langage articulé : système rhétorique*	E		C
2. *Langage articulé : système terminologique*	E	C	
1. *Code réel*		E	C

Fig. 2

Ce schéma tripartite est d'abord illustré par l'exemple du code de la route. Le code réel est ici constitué par les panneaux, les feux, etc., c'est-à-dire une série d'objets que je perçois et dont je peux faire l'apprentissage dans une pratique, par expérience, c'est-à-dire sans le secours du langage, sans relais linguistique. Le système terminologique est constitué par la parole qui relaie le code réel : une phrase en est le signifiant, le rouge est le signe de l'interdiction et le signifié est une proposition, « le rouge est le signe de l'interdiction » :

2. *Code parlé*	*Sa :* /Le rouge est le signe de l'interdiction/ : Phrase.	*Sé :* « Le rouge est le signe de l'interdiction » : Proposition.
1. *Code réel*	*Sa :* Perception du rouge.	*Sé :* Situation d'interdiction.

Fig. 3

Mais ce code parlé qui relaie le code réel comme une métalangue est à son tour le signifiant d'un autre système. La parole n'est pas neutre, et si par exemple c'est un moniteur qui me dit que « le rouge est le signe de l'interdiction », il me dit aussi autre chose, son humeur, le rapport qu'il a à moi, la vision qu'il a de son rôle, de son statut, cela étant connoté par le système terminologique qui constitue donc le signifiant du *système rhétorique* :

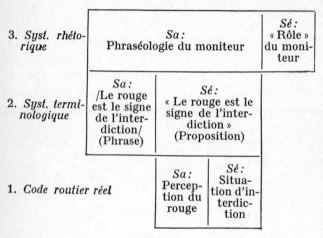

Fig. 4.

Appliquons maintenant ce schéma à la mode. Dans un énoncé comme *les imprimés triomphent aux courses*, nous avons déjà deux systèmes, l'un qui met en relation le vêtement réel et le monde réel (si je vais aux courses j'y verrai des imprimés, c'est l'ensemble A), le *code vestimentaire réel*, semblable au code réel constitué par les panneaux de signalisation routière, et l'autre qui se manifeste dans la forme même du syntagme et qui fait que, quoique ne voyant ni les courses ni les imprimés, je reçoive le message : le *code vestimentaire écrit* ou *système terminologique*, qui « ne fait que dénoter d'une façon brute la réalité du monde et du vêtement, sous forme d'une nomenclature » (1). Le système terminologique est alors, par rapport au code vestimentaire, un métalangage, et leur articulation peut se ramener au schéma suivant :

Syst. 2 *ou terminologique*	*Sa :* Phrase	*Sé :* Proposition	
Syst. 1 *ou code vestimentaire*		*Sa :* Vêt. réel	*Sé :* Monde réel

Fig. 5

Mais l'ensemble est en fait plus complexe. L'équivalence des *imprimés* et des *courses* apporte en effet une autre information : pour être à la mode, aux courses, il faut porter des imprimés. C'est-à-dire que le code vestimentaire écrit connote la mode : la notation de l'équivalence imprimés-courses (c'est, une fois encore, le propre de l'ensemble A) devient le signifiant d'un système de niveau trois : *la connotation de mode*. Reste, comme pour le cas du code de la route, le *système rhétorique*, également connoté, dont le signifié est l'image que le journal se fait ou veut donner de la mode. « Tels sont, en toute rigueur, les quatre systèmes signifiants que l'on doit retrouver dans tout énoncé à signifié explicite (mondain) : code vestimentaire réel (1), code vestimentaire écrit ou système terminologique (2), connotation de

(1) *Id.*, page 45.

Mode (3) et système rhétorique (4). Ces quatre systèmes se donnent évidemment à lire dans l'ordre inverse de leur élaboration théorique ; les deux premiers font partie du plan de dénotation, les deux derniers du plan de connotation : ces deux plans pourront constituer, comme on le verra, les niveaux d'analyse du système général (1). » L'articulation générale de ces quatre systèmes se présente donc comme suit :

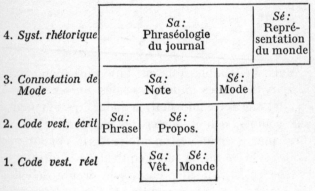

Fig. 6

Toute la typologie précédente concernait les énoncés de l'ensemble A, c'est-à-dire ceux qui, mettant en relation le vêtement et le monde, connotaient la mode. Mais, pour les énoncés de l'ensemble B dont le signifié est la Mode, qui se trouve donc être dénotée, la connotation de mode (le système 3 de la fig. 6) n'a plus de raison d'être, ce qui implique que la présentation visuelle des systèmes sera alors à trois niveaux :

(1) *Id.*, page 47.

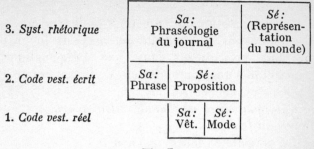

Fig. 7

On voit que la différence essentielle entre l'ensemble A et l'ensemble B (fig. 6 et fig. 7) est que dans un cas (ensemble A, fig. 6) la Mode est connotée par le système de niveau trois, alors que dans l'autre cas (ensemble B, fig. 7) elle est dénotée. Ces différents systèmes que l'analyse a ainsi dégagés sont relativement autonomes : le système rhétorique, le code vestimentaire écrit et le code vestimentaire réel sont des objets d'étude indépendants, susceptibles d'analyses isolées. Seule la connotation de Mode est totalement parasite, elle n'existe pas sans le *noté*, c'est-à-dire sans le code écrit, et l'analyste ne pourra donc pas l'étudier comme un objet isolé.

LA MATRICE SIGNIFIANTE

Les niveaux de signification étant ainsi cernés, il reste à faire l'inventaire des unités syntagmatiques du vêtement écrit, c'est-à-dire à découper le signifiant en unités minima dont l'énoncé représente la concaténation. C'est bien entendu ici la commutation qui va permettre de segmenter, et nous avons déjà signalé que certains énoncés de Mode présentaient dans l'axe syntagmatique le résultat d'une commutation. C'est par exemple le cas d'un énoncé comme :

Cardigan sport ou habillé selon que le col est ouvert ou fermé

qui représente en fait deux énoncés :

— *cardigan sport lorsque le col est ouvert*
— *cardigan habillé lorsque le col est fermé*

qui sont reliés par une commutation : la commutation de *ouvert* à *fermé* entraînant la commutation de *sport* à *habillé*. Barthes voit dans ce type d'énoncés trois composantes : il y a un élément qui reçoit la signification (le cardigan), un élément qui supporte cette signification (le col), un troisième qui la constitue (l'acte de fermer ou d'ouvrir le col). C'est-à-dire qu'il y a dans l'énoncé un *objet* visé par la signification (O), un *support* de la signification (S) et un élément *variant* (V), trois éléments syntagmatiquement inséparables qui forment une unité de signification que Barthes baptise *matrice*. Postulant que cette matrice apparaît dans tout énoncé de mode, l'auteur trouve économique d'en formaliser la concaténation par le symbole O. S. V. On aura ainsi, pour ce qui concerne l'énoncé étudié ci-dessus, deux matrices :

cardigan à col ouvert : sport
    O   S   V

cardigan à col fermé : habillé
    O   S   V

L'objet visé et le support sont toujours constitués d'éléments matériels : vêtement ou partie de vêtement. Quant au variant, il est constitué d'oppositions pertinentes, *ouvert/fermé* dans l'exemple précédent. C'est pourquoi on pourrait tout aussi bien le baptiser *vestème*, suggère Barthes, sur le modèle du *phonème* de la linguistique ou du *gustème* de Lévi-Strauss (*Anthropologie structurale*).

La matrice, unité significative de base, n'est bien entendu qu'un modèle : on ne saurait prétendre que tous les énoncés de Mode se ramènent directement, par simple calque, à cette forme canonique. Certains sont trop longs, d'autres trop courts. C'est pourquoi il faut aussi étudier les transformations possibles de cette matrice, qui vont dans deux directions. Transformations tendant à réduire, tout d'abord : certains des éléments sont confondus. C'est par exemple le cas dans un énoncé comme :

cette année les cols seront ouverts

dans lequel O et S sont confondus, c'est-à-dire que l'énoncé peut s'analyser :

mode cette année : cols ouverts
           O S   V

Transformations tendant à étendre, par ailleurs : certains des éléments sont multipliés. C'est le cas dans un énoncé comme :

Chemisier avec foulard dans l'encolure

où Barthes voit le redoublement du support et qu'il analyse comme suit :

chemisier avec foulard dans l'encolure
  O   S1   V   S2

Il n'est pas dans notre propos d'aller plus loin dans l'analyse du *Système de la mode*, car les éléments donnés ci-dessus montrent assez que Barthes s'est donné une méthode, un instrument heuristique qu'il n'a plus qu'à appliquer à son corpus. Mais cette méthode n'est pas seulement importante par son aspect opératoire (elle permet à son auteur de décrire son corpus), elle l'est aussi et peut-être surtout du point de vue de la diachronie barthienne et du point de vue de la constitution de la science sémiologique. En effet, entre les quelques passages de Saussure où la sémiologie est postulée et ces bases méthodologiques, il y a tout l'écart entre une intuition et sa formalisation. Qu'il s'agisse de l'enchâssement des systèmes par multiplication des connotations et des métalangues, de l'épreuve de commutation, des axes syntagmatique et paradigmatique, Barthes dispose maintenant d'un ensemble méthodologique adéquat. Bien sûr, l'ensemble est surtout adéquat à l'objet que l'auteur se proposait de décrire *hic et nunc*, le système de la mode. Mais cela ne retire rien à sa généralité, et les *Éléments de sémiologie*, publiés à peu près au moment où s'achève le *Système*, répondront ou tenteront de répondre à cette exigence de généralité. On remarquera aussi qu'à travers les multiples emprunts que nous avons signalés (Jakobson, Martinet, Lévi-Strauss), Barthes ne renie jamais rien des préoccupations qui furent siennes auparavant. La théorisation des niveaux de signification constitue une reprise du schéma esquissé dans le *Mythe aujourd'hui*, la discussion des notions de valeur et de motivation, d'arbitraire du signe (1), constitue un approfondissement du problème abordé dans « l'imagination du signe » et le modèle des matrices utilisé ici pour décrire l'énoncé de mode lui permettra par la suite de revenir à l'analyse de la littérature, analyse qui, nous l'avons souligné, était jusque-là restée un échec. C'est pourquoi nous ne pouvons clore ce chapitre que sur ce par quoi commençait l'ouvrage : le *Système de la mode*, par-delà la description qu'il propose, est avant tout un livre de méthode et, à ce titre, l'étape la plus marquante dans la diachronie de Roland Barthes.

(1) *Id.*, pages 218-220.

7 LA TROISIÈME PHASE THÉORIQUE :
ÉLÉMENTS DE SÉMIOLOGIE

Quelques précisions chronologiques tout d'abord. On sait que les *Éléments de sémiologie* ont été publiés pour la première fois en 1964 (in *Communications*, nº 4), alors que le *Système de la Mode* parut en 1967. Pourquoi, dès lors, dans un livre comme celui-ci qui a posé en principe initial de tenter de suivre la constitution de la sémiologie de Roland Barthes à travers sa diachronie, avoir inversé cet ordre et présenté le *Système* avant les *Éléments* ? Question qui se poserait d'autant plus facilement au lecteur qu'il aurait lu dans un autre ouvrage sur le même thème la phrase suivante : « Des *Éléments* découlera l'analyse du *Système de la Mode* (1). » Les choses sont en fait beaucoup plus complexes. Le gros du travail du *Système*, nous l'avons vu, a été accompli entre 1958 et 1963, ce qui signifie à tout le moins que les *Éléments* (publiés en 1964) ont été rédigés en même temps. Nous avons d'ailleurs sur ce point un témoignage de Barthes : « J'avais d'abord pensé élaborer une socio-sémiologie sérieuse

(1) Guy de Mallac, Margaret Eberbach, *Barthes*, Paris, 1971, Éditions Universitaires.

du Vêtement, de tout le Vêtement (j'avais même amorcé quelques enquêtes) ; puis, sur une remarque privée de Lévi-Strauss, j'ai décidé d'homogénéiser le corpus et de m'en tenir au vêtement *écrit* (décrit par les journaux de mode). En raison de ce changement, le *Système de la mode* a paru beaucoup plus tard qu'il n'avait été conçu et même en grande partie travaillé (1). » Le passage confirme à l'évidence la thèse esquissée ci-dessus : le *Système de la Mode* a été « conçu et même en grande partie travaillé » bien avant sa date de publication, indique ici Barthes, il indiquait ailleurs que ce travail avait commencé en 1958, et tout ceci nous mène à conclure que l'analyse de la mode précède la parution des *Éléments*. Ce n'est point là une querelle biographique, et si je m'arrête un instant sur ces dates c'est parce qu'elles devraient nous permettre de mieux comprendre l'élaboration conceptuelle des *Éléments*. On verra en effet que si Barthes s'y montre fortement saussurien (quoique prolongeant, interprétant, renouvelant souvent Saussure), il conteste fondamentalement le maître de Genève sur un point : les rapports entre sémiologie et linguistique. On se souvient que, pour Saussure, la linguistique, science en voie de constitution, était une partie de la sémiologie, science à constituer. Or Barthes propose dans les *Éléments* : « Il faut en somme admettre dès maintenant la possibilité de renverser un jour la proposition de Saussure : la linguistique n'est pas une partie, même privilégiée, de la science générale des signes, c'est la sémiologie qui est une partie de

(1) *Tel Quel*, n° 47, page 99.

la linguistique (1). » Et, dans le *Système de la mode*, il adopte à peu près la même position : « Il faut donc peut-être renverser la formulation de Saussure et affirmer que c'est la sémiologie qui est partie de la linguistique (2). » Or, ce postulat, nous l'avons vu apparaître comme une nécessité. Dans le texte cité plus haut, l'auteur explique que c'est une suggestion de Lévi-Strauss qui l'a amené à se restreindre au vêtement écrit, mais toute la démarche du *Système* impliquait que le code réel soit relayé par le langage. Et le fait que les développements sur le vêtement comme sur le code de la route se retrouvent à tout propos dans les *Éléments* montre bien qu'à l'époque où il écrit ce texte Barthes en est déjà à un degré avancé d'élaboration du *Système*. C'est pourquoi, pour ces raisons internes à l'évolution de l'œuvre comme pour des raisons externes (les déclarations de l'auteur dont il a été fait état), j'ai choisi de présenter les deux ouvrages dans cet ordre apparemment illogique. Et ceci nous ramène, une fois de plus, à la démarche pratique-théorie que j'ai déjà soulignée. Car si le *Système de la Mode* est un ouvrage de méthode qui présente à la fois, et dans cet ordre, une théorie et sa mise en pratique, il faut concevoir en fait que les choses se sont passées dans un ordre quelque peu différent, quoique sans doute moins mécaniste que je ne vais le suggérer. C'est le travail sur le corpus de mode qui a mené Barthes à élaborer un certain nombre de concepts empruntés à la linguistique, c'est lui aussi qui l'a mené à renverser la proposition saussurienne et, de ce point de

(1) *Éléments de sémiologie*, page 81.
(2) *Système de la mode*, page 7.

vue, les *Éléments* sont un produit du *Système*, ils en découlent directement, même si ce dernier n'était pas écrit mais seulement pensé et travaillé à l'époque de la publication de ceux-là. Les problèmes de description rencontrés face à la Mode ont forcé l'auteur à une réflexion théorique qui a trouvé une rédaction plus générale dans les *Éléments*. Mais la rédaction définitive du *Système* est intervenue après la publication des *Éléments*, et toute l'introduction méthodologique s'en inspire, alors que le texte qui suit (la description) les a inspirés. Le travail sur le vêtement et sur la mode se trouve donc tout à la fois producteur et produit du texte qui nous intéresse ici, et c'est ce qui fait l'ambiguïté de ce problème chronologique.

Tout ceci étant précisé, il est difficile de ne pas penser, au vu même du titre, à un autre ouvrage, publié en 1960, les *Éléments de linguistique générale* d'André Martinet. Il est en effet probable que Barthes a voulu faire, sur ce modèle, un manuel de sémiologie qui soit à celle-ci ce que voulait être l'ouvrage de Martinet à la linguistique. Manuel, c'est-à-dire ouvrage pratique, ouvrage d'initiation, clefs en quelque sorte. Et il va effectivement proposer une démarche, un certain nombre de concepts oppositifs, bref un instrument d'analyse. Mais l'auteur se pose tout d'abord une question : pourquoi la sémiologie a-t-elle si peu avancé depuis que Saussure en donna le coup d'envoi ? Et il répond : parce qu'elle n'a étudié que des codes d'intérêt limité, et que si elle s'était penchée sur des systèmes doués d'une véritable profondeur sociologique, elle aurait très vite retrouvé la langue sous ces systèmes. C'est-à-dire que les objets, les signes, les comportements signifient mais sont aussi mêlés de langage et que les ensembles d'objets (vêtement, nourriture, mobilier) ne deviennent systèmes sémiologiques que par le biais de la langue qui en découpe les signifiants et en nomme les signifiés. C'est pourquoi l'on devrait peut-être inverser la proposition de Saussure et dire que la sémiologie fait partie de la linguistique : « La sémiologie est donc peut-être appelée à s'absorber dans une *trans-linguistique*, dont la matière sera tantôt le mythe, le récit, l'article de presse, tantôt les objets de notre civilisation, pour autant qu'ils sont *parlés* (à travers la presse, le prospectus, l'interview, la conversation et peut-être le langage intérieur, d'ordre fantasmatique) (1). »

On voit tout d'abord que la sémiologie envisagée ici se donne comme objets potentiels d'étude des éléments beaucoup plus complexes et beaucoup plus étendus que ceux choisis par Mounin ou Prieto par exemple (le code de la route, le blason, la nomenclature de la chimie) : Barthes choisit la difficulté là où les susdits sélectionnent des systèmes simples et se prêtant à leur théorie. C'est la théorie qui sélectionne chez eux l'objet d'étude alors qu'il se passe l'inverse chez Barthes : il tente de construire une théorie adaptée à la plus grande surface possible de systèmes. Mais on voit aussi que la lin-

(1) *Éléments*, page 81.

guistique, présentée comme nécessaire dans l'approche sémiologique, ne sera pas tout à fait celle des linguistes : il ne s'agit pas en effet d'analyser dans l'aspect *parlé* ou *écrit* d'un système sémiologique le sous-ensemble langue en termes de double articulation (comme on le fait lorsqu'on analyse une langue, du moins en linguistique structurale), mais bien plutôt de dégager de nouvelles unités, qui ne seraient ni le *phonème* ni le *morphème* (ou le *monème*) et dont le prototype nous est apparu dans le *Système de la mode* : les *matrices*. C'est pourquoi l'auteur va présenter des concepts issus de la linguistique, mais sans prétendre qu'ils suffisent à l'analyse sémiologique, qu'ils peuvent s'y appliquer tels quels ni qu'ils y seront toujours conservés : il s'agit, pour reprendre ses termes, d'un « principe de classement des questions », tout provisoire et problématique.

LANGUE-PAROLE

Ce couple est tout d'abord pratiquement emprunté à Saussure sans modification (on trouve même sous la plume de Barthes cette phrase : « la langue, c'est donc, si l'on veut, le langage moins la parole », alors qu'on peut lire dans le *Cours de Linguistique générale* : « la langue est pour nous le langage moins la parole ». Le rapprochement est éloquent), puis précisé par des références à Merleau-Ponty, Brøndal, Martinet et Hjelmslev. Il s'agit surtout pour l'auteur de rappeler la division opérée dans la langue par le linguiste danois qui y distinguait trois plans : le *schéma*, la *norme*, *l'usage*, le schéma ressortissant à la *forme* et le groupe norme-usage-parole ressortissant à la *substance*. Ceci, du point de vue linguistique, constitue pour Barthes un enrichissement de la dichotomie saussurienne, mais laisse dans l'ombre un certain nombre de problèmes que nous énumérons ci-dessous :

— Peut-on poser l'égalité langue/parole = code/message ? (Martinet le pense, Guiraud le nie).

— Le syntagme est-il uniquement un fait de parole, ou bien existe-t-il déjà dans la langue des syntagmes figés ?

— La langue est-elle uniquement le domaine de la pertinence, ou bien faut-il admettre qu'on y trouve certains faits non-pertinents ?

En outre, Barthes rappelle et discute brièvement les concepts d'*idiolectes* et de *structures doubles* : nous sommes toujours, répétons-le, au sein de la linguistique.

Quel peut être l'intérêt de cette opposition entre langue et parole en sémiologie ? Citant les diverses disciplines dans lesquelles elle a été ou pourrait être utilisée avec profit (philosophie, anthropologie, sociologie...), l'auteur affirme très vite : « On voit par ces indications sommaires combien la notion *langue/parole* est riche de développements extra- ou méta-linguistiques. On postulera donc qu'il existe une catégorie générale *langue/parole*, extensive à tous les systèmes de signification ; faute de mieux, on gardera ici les termes de *langue* et de *parole*, même s'ils s'appliquent à des communications dont la substance n'est pas verbale (1). » Mais, selon les systèmes,

(1) *Id.*, page 97.

l'opposition devra être reconsidérée et adaptée. Ainsi, pour le vêtement, on trouvera la distinction langue/parole telle que la posait Saussure dans le vêtement *porté* (c'est par exemple ce qui était postulé dans le passage de Troubetzkoy cité en tête du chapitre précédent), mais le vêtement *photographié* (le vêtement-image) sera plutôt de la parole tandis que le vêtement *écrit* sera plutôt de la langue. Par contre, dans le cas de la nourriture, la distinction langue/parole s'applique plus aisément et pratiquement sans transformation : il y a une langue alimentaire (des règles d'exclusion, des oppositions du type salé/sucré, des règles de concaténation...) et des paroles alimentaires (les plats). Le menu sera ainsi une structure (c'est-à-dire un élément de la langue) remplie différemment selon les cas (ce qui est un fait de parole).

Le vrai problème qui se pose lorsqu'on applique ce couple à des systèmes non linguistiques au sens étroit du terme, c'est celui de l'*origine* de la langue. Pour un système linguistique, les choses sont claires : langue et parole sont dans un rapport dialectique, la parole crée la langue mais la langue détermine la parole, l'ensemble des actes (de parole) individuels constituant un fait social, la langue. Chacun participe ainsi à l'élaboration du système, le fait social langue étant déterminé sans cesse par les usages individuels et les déterminant. Il en va tout différemment dans des cas comme la mode, la voiture, le mobilier, etc., où des groupes de décision créent la langue, que Barthes baptise alors *logotechnique*, dans les limites du cadre imposé par les besoins et l'idéologie, certes, mais sans que les utilisateurs de ces *logo-techniques* soient concernés. En outre, alors que dans le cas linguistique l'importance statistique de la parole par rapport à la langue est énorme, dans des systèmes comme celui de l'automobile ou celui du mobilier, la parole est très pauvre, la marge de liberté dans l'exécution du « modèle » est restreinte, limitée à quelques variations. C'est-à-dire qu'il faudrait presque pouvoir imaginer des langues sans parole et compléter le couple langue/parole par un troisième terme, support de la signification. L'exemple que donne ici Barthes (dans *une robe longue ou courte* la robe est le « support » du « variant » long/court) nous montre, s'il en était encore besoin, l'importance du travail sur le vêtement et donc du *Système de la mode* dans l'élaboration des *Éléments* : la mode est un système où la parole est pauvre, et il faut tenir compte de tels systèmes dans la mise au point de l'instrument d'analyse.

SIGNIFIANT ET SIGNIFIÉ

Ce second couple saussurien est au cœur du problème et du projet sémiologique puisqu'il concerne les constituants du signe et Barthes, après avoir exposé les divers usages de ce terme (Chez Wallon, Peirce, Jung...) et les rapports qu'il y entretient avec d'autres termes, en rappelle la stricte orthodoxie saussurienne : le signe est une unité à deux faces, signifiant et signifié (ce qui implique d'ailleurs que la sémantique soit une partie de la linguistique, puisque le signifié est une partie du signe).

Puis il le met en perspective hjelmslévienne, introduisant les subdivisions connues :

Forme
Substance } de l'expression

Forme
Substance } du contenu

La forme, c'est ce que la linguistique s'efforce de décrire, tandis que la substance concerne l'univers non-linguistique. Ainsi, pour l'expression (ou, si l'on préfère, le domaine des signifiants), la phonologie étudie la forme et la phonétique étudie la substance. Cette distinction entre *forme* et *substance* peut être utile en sémiologie, où certains systèmes sont construits à partir d'une substance qui n'est pas prioritairement signifiante mais qui est parfois avant tout utilitaire : la nourriture, le vêtement, etc. Objets d'usage (leur fonction est d'abord de nourrir, de couvrir), ces éléments sont déviés vers la signification, constituant ainsi ce que Barthes appelle des *fonctions-signes*, c'est-à-dire des éléments fonctionnels sémantisés. L'auteur voit ici un schéma plus général, qui indique d'ailleurs que pour lui le domaine d'intervention de la sémiologie est pratiquement illimité. Premier temps du schéma : sémantisation de la fonction : « Dès qu'il y a société, tout usage est converti en signe de cet usage (1). » Deuxième temps, refonctionnalisation du signe ainsi constitué qui réapparaît comme un objet d'usage, mais un objet d'usage différent, dévié : « On traitera d'un manteau de fourrure comme s'il ne servait

(1) *Id.*, page 113.

qu'à se protéger du froid (1). » Et ainsi nous apparaît une société diluée de *fonctions-signes*, dans laquelle tout le technique se sémantise, et qui offre au sémiologue un champ d'intervention sans rivages.

Mais cette intervention implique que l'on sache classer les signifiés, qu'on sache organiser la *forme du contenu*. La linguistique est ici de peu d'utilité : sur le modèle phonologique, elle a bien parfois tenté d'analyser le sens en traits pertinents, ou *sèmes*, sans cependant parvenir à élaborer une sémantique structurale. Aussi est-il difficile de proposer quoi que ce soit pour le classement des signifiés sémiologiques : nous nous trouvons devant un domaine vierge. Barthes « risque » cependant trois idées à ce propos :

1) Il faudrait distinguer les systèmes isologues des systèmes non isologues : les premiers fonctionnent sur des signifiants indissociables des signifiés, les seconds fonctionnent sur une prise en charge, le langage articulé relayant le code réel (on retrouve ici à l'évidence la trace du travail sur la mode).

2) Il est possible que les fonctions qui apparaissent dans un système particulier se retrouvent dans d'autres systèmes et constituent finalement les fonctions du Système idéologique de notre société.

3) Enfin, les corps de signifiés correspondant à ces systèmes peuvent être lus différemment, à différents niveaux, selon les consommateurs qui les reçoivent.

Et, malgré la modestie de l'auteur (« on risquera

(1) *Id.*, page 114.

cependant trois remarques »), ces points sont hautements suggestifs, en particulier le second, sur lequel nous reviendrons dans un autre chapitre, qui suggère que les diverses descriptions sémiologiques peuvent déboucher sur la mise à nu d'une organisation de l'idéologie en couples binaires de traits pertinents qui en seraient le fondement.

Si le classement des signifiés n'est guère aisé, celui des signifiants en revanche ne pose pas de grands problèmes théoriques : c'est le rôle de la commutation qui permet justement la segmentation et le classement, et nous en avons vu une application à propos de la mode et des classes commutatives. Il reste alors deux types de relations, elles aussi empruntées à Saussure : la *signification*, relation interne au signe, entre signifiant et signifié, et la *valeur*, relation externe au signe, constituée par les différences entre les signes. Sur ces points, Barthes tente encore une fois d'aller plus loin que Saussure. Après avoir présenté les notions de signification et de valeur et avoir utilisé pour ce faire les métaphores mêmes de Saussure (la feuille de papier, la vague), il suggère que ce *découpage* qui semble être commun à tous les systèmes sémiologiques justifie peut-être une future science qui engloberait la sémiologie et la taxinomie : « l'arthrologie ou science des partages ». Il y a d'ailleurs peut-être un lien entre cette suggestion et la seconde remarque que nous soulignions plus haut : les fonctions qui, par-delà les différents systèmes, constitueraient la base du Système idéologique ne constitueraient-elles pas aussi les critères de pertinence du découpage dont l'*arthrologie* ferait son objet d'étude ? Quoi qu'il en soit, il n'y a là chez Barthes qu'intuition (ou vœu pieux, comme on voudra), mais ces indications successives permettent de mieux comprendre ce qu'il entend par sémiologie : c'est bien entendu la science de toutes les significations et, les significations étant partout (jusque dans les objets d'usage), c'est la science de la société en tant qu'elle se signifie (et que, du même coup, elle se distord), ce qui semble impliquer que la sémiologie tendrait à devenir la science de l'idéologie, la science qui aurait l'idéologie pour ultime objet d'étude.

SYNTAGME ET SYSTÈME

Dernier couple saussurien repris par Barthes, celui que l'on baptise généralement aujourd'hui *syntagme/paradigme*. Saussure parlait pour sa part de *rapports syntagmatiques* et de *rapports associatifs* et l'auteur adopte les termes *syntagme* et *système*. Le syntagme, c'est la concaténation d'unités signifiantes lorsque le système est linéaire (c'est le cas de la langue) et c'est, dans tous les cas, le lieu de rapports entre unités présentes ; le système (ou paradigme) c'est l'axe des rapports entre une unité présente dans le syntagme et des unités absentes. Mais syntagme et système correspondent peut-être aussi à deux formes d'activités mentales. Saussure l'avait suggéré, Jakobson a approfondi cette sug-

125

gestion en rapprochant le syntagme de la *métonymie* et le système de la *métaphore* et en indiquant qu'il pouvait y avoir des discours à dominante métaphorique (les films de Charlot, la peinture surréaliste) et des discours à dominante métonymique (l'épopée, les romans réalistes).

Barthes voit dans cette direction de recherche une voie possible de passage de la linguistique à la sémiologie. Il lui est tout d'abord facile de montrer que les deux axes saussuriens sont applicables aux systèmes qu'il étudie : ainsi les diverses variétés de desserts constituent un paradig e (un système) et l'ensemble des plats d'un menu constitue un syntagme ; jupe, pantalon et robe constituent un paradigme, jupe et blouse un syntagme ; les différents styles de lits constituent un paradigme, l'association d'un lit, d'une armoire et d'une table de nuit constitue un syntagme, etc. Puis, après avoir discuté des types d'oppositions binaires proposées par Troubetzkoy, reprises par Cantineau, et s'être demandé sans conclure si le binarisme était inhérent aux systèmes sémiologiques ou s'il n'était pas plutôt « un méta-langage, une taxinomie particulière destinée à être emportée par l'histoire dont elle aura été un moment juste » (1), il revient aux propositions de Jakobson. Métaphore et métonymie ne nous mènent-elles pas à la possibilité de transgression des deux axes saussuriens ? Ou encore, pour être plus technique : si la loi de Trnka (qui voulait qu'en phonologie deux éléments d'une corrélation ne puissent coexister dans un syntagme, du moins

(1) *Id.*, page 157.

de façon rapprochée) est fausse, ne peut-on voir justement dans la projection du paradigme sur le syntagme, ce « scandale structural », cette transgression des genres différents, une des lois de la rhétorique ? Ainsi, pour prendre un exemple, la rime peut être considérée comme la mise en syntagme d'éléments paradigmatiques, et ce serait donc aux frontières de ces deux axes qu'apparaîtrait la création. Une fois encore cette intuition, cette direction de recherche à peine esquissée, paraît ici un peu gratuite, mais elle ouvre la voie à d'autres recherches, à d'autres travaux qui absorberont plus tard Barthes.

Puis, après avoir repris le schéma de la connotation tel qu'il était déjà présenté dans le *Système de la mode* (cf. chapitre précédent), l'auteur termine sur un court texte dans lequel il ramasse trois principes méthodologiques (mis en pratique dans le *Système*, comme nous l'avons vu) : la nécessité d'un *corpus* homogène, la nécessité de travailler en *synchronie* et, enfin, l'important principe de *pertinence*, tous trois empruntés une fois de plus à la linguistique et plus particulièrement à André Martinet en l'occurrence.

On voit donc que les *Éléments de sémiologie* constituent le texte barthien le plus orthodoxe du point de vue de la linguistique structurale : dans cette volonté de scientificité qui le caractérisait à l'époque, l'auteur s'obligeait à avancer pas à pas et à adopter la démarche même des linguistes telle qu'elle lui apparaissait à travers les *Éléments de linguistique générale*. Et c'est, paradoxalement, ce que lui ont reproché les linguistes. Nous avons déjà signalé et commenté les attaques de Georges Mounin, il nous faut aussi parler de celles de Luis Prieto (1). Après avoir rappelé le rôle de Saussure à l'origine de l'idée de sémiologie, Prieto oppose, comme Mounin, une sémiologie de la communication, dont Eric Buyssens serait le meilleur représentant, à une sémiologie de la signification, celle de Barthes. Puis il ne se préoccupe plus que de communication, après avoir superbement affirmé : « L'intérêt d'une sémiologie de la signification semble être évident, sans plus. Quant à celui d'une sémiologie de la communication, il est beaucoup plus grand qu'on ne pourrait le supposer si on le fondait exclusivement sur l'importance des moyens de communications non linguistiques (2). » Cette position est bien sûr sujette aux mêmes critiques que celle de Mounin : il est loin d'être prouvé que communication et signification définissent deux ensembles exclusifs, et il est au contraire permis de postuler que toute communication puisse s'assortir de signification. Mais cette postulation, répétons-le, met en question un des principes fondamentaux de la linguistique structurale, qui veut que la fonction prioritaire de la langue soit la communication. Et l'exclusion de Barthes du champ de la sémiologie admise (c'est-à-dire du champ de l'admissible)

(1) On fera ici référence au texte du Luis Prieto, « La sémiologie », publié dans le volume de l'Encyclopédie de la Pléiade, *Le langage*, N. R. F., Paris, 1968.
(2) *Id.*, page 94.

constitue surtout ici un fait de dogmatisme d'école : hors de la communication, point de salut (ce dogmatisme se manifeste d'ailleurs parfois de façon plus mesquine : dans l'index du *Langage*, ouvrage dirigé par A. Martinet, Barthes est présenté comme « essayiste et critique » : la plume aurait-elle menacé de brûler les doigts de celui qui aurait écrit « sémiologue » ?). Et cette défense d'une certaine orthodoxie linguistique ne peut pas ne pas apparaître du même coup comme celle d'un certain ordre idéologique et politique. Un texte plus récent que ceux de Prieto et Mounin, mais émanant de la même école, affirme par exemple que « les réalités idéologiques ne concernent pas directement le linguiste » (1), ce qui laisse supposer que la « communication » serait un processus idéologiquement neutre. C'est un peu le pendant au paralogisme originel dans lequel Mounin reprochait à Barthes de tomber, à moins qu'il ne s'agisse tout simplement d'un sophisme : dans les deux cas, ce sont les fondements d'une linguistique (et de la sémiologie qu'elle a imaginée) qui sont en cause.

(1) J. Molino, « La connotation », in : *La linguistique*, 1971, 1, page 30.

8   LE RETOUR A L'ÉCRITURE

Nous avons vu que, dès le *Degré zéro de l'écriture*, Barthes montrait derrière le discours apparent un discours second (ou son absence, dans l'écriture blanche), forme d'insertion dans le monde, mythe ou connotation comme il pourrait par la suite le baptiser. Mais ce degré second est toujours organisable et détermine ainsi une certaine lecture : Barthes cherche le système derrière l'écriture. A propos de *Michelet par lui-même*, il s'explique ainsi : « Je copiais sur des fiches les phrases qui me plaisaient, à quelque titre que ce fût, ou qui, simplement, se répétaient ; en classant ces fiches, un peu comme on s'amuse à un jeu de cartes, je ne pouvais que déboucher sur une thématique... (1). » Et déjà, dans la préface des *Essais critiques*, il précisait : « le sens d'une œuvre (ou d'un texte) ne peut se faire seul ; l'auteur ne produit jamais que des présomptions de sens, des formes, si l'on veut, et c'est le monde qui les remplit (2). » Car ce que Barthes recherche dans la littérature, c'est avant tout un interlocuteur qui

(1) *Tel Quel*, nᵒ 47, page 94.
(2) *Essais critiques*, page 9.

puisse entrer, face à lui, dans un processus de communication. Récepteur de codes, il en cherche des émetteurs. Sade, Balzac, Loyola, Fourier, sont de ceux-là. Sade par exemple :

— « Le libertin est modéliste, comme il est diététicien, architecte, décorateur, metteur en scène, etc. »

— « En fait, c'est ici le moment de le dire, hors le meurtre, il n'y a qu'un trait que les libertins possèdent en propre et ne partagent jamais, sous quelque forme que ce soit : c'est la parole. »

— « Les deux codes, en effet, celui de la phrase (oratoire) et celui de la figure (érotique) se relaient sans cesse... »

— « L'énergie de baroque dont Sade était capable et... l'énergie d'écriture qu'il mettait dans ses actes mêmes (1). »

Et, face à ces producteurs de codes, Barthes se donne un double but : organiser (comme déjà dans *Système de la mode* il organisait le code du vêtement écrit) et, parfois, répondre. Cette organisation est flagrante avec Sade chez qui il dégage une double articulation et une syntaxe. Le propos est ici doublement caractéristique. D'une part, l'auteur ne s'intéresse jamais à Sade comme individu, il étudie sa production, et si le marquis est présent, c'est uniquement comme émetteur du code qui fait l'objet du texte barthien. D'autre part, derrière la métaphore linguistique (« la grammaire sadienne », page 34), perce l'humour profond, le plaisir de Barthes. Il nous faudra revenir sur ce second point, car il est constitutif de l'approche barthienne de la

(1) *Sade, Fourier, Loyola*, pages 26, 36, 37, 180.

littérature, mais nous allons pour l'instant en rester au code sadien tel que Barthes l'institue. Cinq termes clefs suffisent à le définir : la *posture*, l'*opération*, la *figure*, l'*épisode*, la *scène*, et Barthes les explicite consciencieusement :

« L'unité minimale est la *posture* ; c'est la plus petite combinaison que l'on puisse imaginer car elle ne réunit qu'une action et son point corporel d'application » (1), nous fournissant du même coup, implicitement, le trait pertinent du code sadien : la copulation (ou polysémie qui fait du terme à la fois un élément du code érotique et du code grammatical). La combinaison des postures (de copulation) va donc nous fournir une unité d'articulation supérieure : « Combinées, les postures composent une unité de rang supérieur, qui est l'*opération*. L'opération demande plusieurs acteurs (c'est du moins le cas le plus fréquent) ; lorsqu'elle est saisie comme un tableau, un ensemble simultané de postures, on l'appelle *figure* ; lorsqu'au contraire on voit en elle une unité diachronique, se développant dans le temps par succession de postures, on l'appelle un *épisode* » (2). La métaphore linguistique, on le voit, se poursuit de façon cohérente puisque la plus petite unité, la posture, fait partie d'un ensemble fini (les actions et leur point corporel d'application sont limités), tandis que l'unité supérieure, l'opération, fait partie d'un ensemble infini. Barthes, se disciplinant hélas, ne cède pas ici à son amour du néologisme, car il lui aurait été facile de nous proposer des *phallèmes* ou des *érotèmes* par exemple...

(1) *Id.*, page 33.
(2) *Id.*, page 34.

Enfin, les unités peuvent se concaténer, la chaîne ainsi constituée formant la phrase du code sadien, la *scène* : « les opérations, s'étendant et se succédant, forment la plus grande unité possible de cette grammaire érotique : c'est la scène ou la séance » (1).

Les unités étant ainsi posées (c'est l'aspect taxinomique de la grammaire), il reste à étudier leurs règles de combinaison. Deux règles président en fait à la concaténation des opérations : une règle d'exhaustivité (le plus grand nombre de postures doivent être accomplies simultanément) et une règle de réciprocité (il n'y a pas de fonction réservée). « Dans la scène, toutes les fonctions peuvent s'échanger, tout le monde peut et doit être à son tour agent et patient, fustigateur et fustigé, coprophage et coprophagé, etc. » (2). On voit donc que, dans toute cette démarche, l'auteur Sade est absent, non avenu, et l'on pense à cette définition de Goldman : « On a très souvent essayé d'étudier l'œuvre des écrivains par rapport au sujet individuel, à l'écrivain. La grande différence entre les travaux inspirés par le structuralisme génétique et la critique littéraire traditionnelle réside non seulement dans le fait que le premier rapporte l'œuvre à un sujet collectif alors que la seconde la rapporte à un sujet individuel, mais surtout en ce que le sujet collectif auquel nous nous rapportons constitue une structure significative qui ne passe pas intégralement à travers la conscience (3). » Certes, l'œuvre

(1) *Id.*, page 34.
(2) *Id.*, page 35.
(3) Lucien Goldman, 23 février 1968, lors d'un débat à la Sorbonne sur le thème « Structure sociale et histoire ».

de Barthes n'est pas tout à fait classable sous la banderole du structuralisme génétique, mais il est clair que, face à ce que Lucien Goldman appelle ici la « critique littéraire traditionnelle », elle est du côté du sujet collectif, du côté de la structure significative.

Cette façon d'instituer (ou de restituer) les codes émis par les « auteurs » n'est pas nouvelle chez Barthes. Dans *Sur Racine*, l'étude de l'homme racinien répondait au même propos : l'auteur n'est pas étudié en tant que tel (et on ne cherchera pas, dans l'œuvre, son ombre : il ne s'agit pas de psychanalyser Racine), il n'est là, une fois de plus, que comme émetteur, et l'on ne s'intéresse qu'à ce qu'il a émis : le monde des héros raciniens est au centre de l'étude, et il va être découpé selon la même métaphore linguistique. Dans un premier temps, taxinomique, Barthes dresse une liste d'unités (les figures) et de fonctions ; dans un second temps (combinatoire), il étudie la succession concrète de ces éléments dans les phrases raciniennes, c'est-à-dire les pièces.

Fourier, Loyola, sont également des émetteurs de codes (on remarquera qu'ici message et code sont confondus : comme pour un enfant qui apprend sa langue et trouve le code dans les messages de son entourage, Barthes prend l'œuvre comme un message dont le contenu *est* le code). Fourier compte et classe selon un trait pertinent, mesure de toute chose : le plaisir. Loyola classe aussi méthodiquement, avec cependant une tout autre finalité : il faut classer pour classer, ou plutôt pour s'occuper l'esprit à classer, car se faisant il sera tout entier braqué vers un seul but. Mais le code de Loyola est surtout caractérisé par les différents niveaux qu'il met en jeu. Les *Exercices spirituels* sont un message de Loyola au directeur des futurs retraitants, mais ils sont du même coup un message du directeur à ces retraitants, puis un message du retraitant à Dieu et enfin, potentiel, un message de Dieu au retraitant. C'est-à-dire qu'un seul texte se subdivise en quatre, ou si l'on préfère en quatre niveaux de discours ; la fonction en est une, pourtant, singulière, elle est d'interrogation : le code est ici une mantique. L'exercitant questionne Dieu, et les *Exercices spirituels* lui expliquent comment faire, c'est-à-dire qu'ils lui fournissent la langue (le code) nécessaire à ces questions (il n'est pas indifférent que le texte sur Loyola ait été d'abord publié sous le titre de *Comment parler à Dieu*). Ce discours à fonction unique (questionner Dieu) et à quatre niveaux enchante Barthes et lui fournit un schéma plus riche que celui de la connotation à deux niveaux (celle qui apparaît dans *Le mythe aujourd'hui*), assez proche de la stratification des niveaux de signification proposée dans *Système de la mode* :

I	II	III	IV
Texte littéral Ignace Le directeur	Sémantique Le directeur L'exercitant	Allégorique L'exercitant La divinité	Anagogique La divinité L'exercitant

Ces indications rapides laissent bien des points dans l'ombre. En particulier, l'étude sur Sade est peut-être la meilleure explicitation du principe barthien selon lequel la sémiologie fait partie de la linguistique. On se souvient que, pour Barthes, la langue se trouve toujours, à un niveau ou à un autre, sous le signe non-linguistique, sous le système sémiologique tant soit peu complexe. Or l'ensemble de la syntaxe érotique sadienne, non-linguistique bien sûr, nous renvoie à la langue de façon continue : « On dira à la limite que le crime sadien n'existe qu'à proportion de la quantité de langage qui s'y investit, non point du tout parce qu'il est rêvé ou raconté, mais parce que seul le langage peut le construire (1). » Mais plus important me paraît être le statut de Barthes dans ce déchiffrement de codes qu'il entreprend. J'ai dit plus haut qu'il cherchait, chez Racine, Sade ou Balzac, des émetteurs, et ce faisant il s'institue à son tour voleur de parole, puisqu'il saisit un message pour nous le disséquer. Le phénomène est particulièrement évident dans l'étude sur Loyola : le message, ici, s'adresse au bout du compte à Dieu et Barthes s'insère dans ce canal de communication pour en détourner le cours. Mais plus originale est la façon dont, parfois, il émet à son tour : dans ce qu'il nomme la *Vie de Sade* et la *Vie de Fourier*, il renvoie les éléments d'une nouvelle structure, sous forme de propositions minimales (22 pour Sade, 12 pour Fourier) ou unités d'information qui tissent comme un filet découpant Sade ou Fourier en petits carrés faisant du sens (mais c'est au lecteur, alors, à reconstituer éventuellement le code). Le jeu est à la fois profond et plein d'humour, organisation et

(1) *Sade, Fourier, Loyola*, page 38.

ironie. Prenons le temps de l'imiter, à propos de Barthes cette fois. Le plagiat donnerait à peu près :

1. Barthes adore, stylistiquement, les paires oppositives fondées sur une différence formelle minimale : système/systématique, réel/réalité, reproduire/re-produire, texte de plaisir/plaisir du texte, action du signifiant/signifiant de l'action, fustigateur/fustigé, coprophage/coprophagé, etc.

2. Barthes n'a pas (encore) lu Diderot.

3. Barthes aime fumer le cigare.

4. Barthes n'écrit que sur commande.

5. Barthes produit avec passion des néologismes comme il ferait à la langue des enfants illégitimes.

6. Barthes est un moraliste (son attrait pour Sartre, pour Brecht).

Etc.

Ce plaisir de la réception, parfois de l'émission comme nous venons de le voir, ne montre dans *Sade-Fourier-Loyola* que son aspect ludique, ce qui en fait d'ailleurs un texte aisé à lire, voire à dévorer. Dans *S/Z* au contraire, le plaisir se théorisait, avec cependant, dans le titre même, une émission semblable à celles des *vies* (Sade, Fourier) : Barthes renvoyait à Balzac un titre (*S/Z*) pour une nouvelle déjà titrée (*Sarrasine*).

S/Z est en quelque sorte à la littérature ce que *Système de la mode* est aux systèmes sémiologiques : deuxième ouvrage de méthode dans la chronologie de R. B., il assume certains concepts passés (la connotation) et en propose d'autres, les appliquant à un corpus concret, une nouvelle de Balzac. Comment « évaluer » un texte ? En le ré-écrivant, répond Barthes, c'est-à-dire en me plaçant face à lui en fonction de producteur et non plus de consommateur, en assumant ses multiples possibilités, en lui reconnaissant sa qualité de « pluriel ». Bien sûr, tous les textes ne se prêtent pas à cette activité de plaisir (et/ou de désir) : il y a les textes *scriptibles*, ceux que je peux ré-écrire, et les textes *lisibles*, qui ne peuvent qu'être lus.

Ces textes scriptibles, eux, ne sont pas uniquement « lus » car ils ne sont pas vraiment écrits avant l'intervention du lecteur (ou, mieux, du récepteur) : « Plus le texte est pluriel et moins il est écrit avant que je le lise » (1). L'activité de lecture est alors une exploration de diverses voies, exploration qui va disposer d'un moyen d'investigation : la connotation. Définie comme dans les textes précédents, c'est-à-dire en stricte orthodoxie hjelmslevienne, la connotation est la trace du pluriel du texte. Elle est un sens qui n'est pas dans le dictionnaire, une dissémination des significations, le départ d'un code second, une altération de la pure communication, le lieu privilégié de l'évaluation du texte. Mais cette évaluation doit respecter la différence, son jeu propre, c'est-à-dire qu'elle ne peut pas se contenter d'une analyse structurale en grandes articulations. Nous disposions en effet, bien avant Barthes, d'un modèle analytique proposé par Vladimir Propp (2) et qui tentait de ramener tous les textes pris en compte (les contes folkloriques russes) à une même structure narrative. Mais cette démarche est rejetée par l'auteur comme indésirable : « le

(1) *S/Z*, page 16.
(2) V. Propp, *Morphologie du conte.*

texte y perd ses différences », alors que son but
est au contraire de « remonter les veinules du
sens », de ne laisser aucun lieu du signifiant sans
y pressentir le code ou les codes dont ce lieu est
peut-être le départ (ou l'arrivée) (1) ». C'est dire
que la quête du pluriel du texte impose une analyse pas à pas, un découpage plus fin que celui
de Propp, une segmentation en unités de lecture :
les *lexies*. Segmenter comment, et au nom de quels
principes méthodologiques ? Au nom d'aucun,
répond Barthes, sinon la commodité, puisqu'il
s'agit de découper du signifiant alors que l'analyse
à mener est celle du signifié, des signifiés. Ainsi
certaines lexies ne comprennent qu'un mot (c'est
le cas de la lexie 1, le titre de la nouvelle, *Sarrasine*),
tandis que d'autres comprendront plusieurs lignes
(c'est le cas de la lexie 21 : dix-huit lignes en typo-
graphie serrée). Ces lexies sont le lieu du pluriel
du texte scriptible, de ses signifiés. Et ces signifiés
apparaissent, au fil du texte, à travers cinq codes
qui interfèrent, se mêlent, se superposent. Énumérons tout d'abord brièvement ces codes, pour
en reprendre ensuite l'explication à travers le
découpage d'un fragment du texte même de
Balzac :

— Le *code herméneutique*, c'est-à-dire l'ensemble
des unités qui posent un problème, une énigme,
et mènent à sa solution.

— Le *code sémique* qui, par touches successives,
connote un certain nombre de lieux ou de personnages.

(1) *S/Z*, page 19.

— Le *code symbolique*, « lieu propre de la multivalence et de la réversibilité ».

— Le *code proaïrétique* ou code des actions, qui implique un comportement à venir.

— Le *code gnomique* ou code culturel, « citation d'une science ou d'une sagesse ».

Ces cinq codes assurent donc le pluriel du texte scriptible qui est polyphonique, à plusieurs voix, qui se déroule comme une tresse faite de ces différents codes ou de ces différentes voix. Nous allons maintenant essayer de mieux préciser ces notions à partir des premières lignes de la nouvelle de Balzac.

« Sarrasine,

J'étais plongé dans une de ces rêveries profondes qui saisissent tout le monde, même un homme frivole, au sein des fêtes les plus tumultueuses. Minuit venait de sonner à l'horloge de l'Élysée-Bourbon. Assis dans l'embrasure d'une fenêtre et caché sous les plis onduleux d'un rideau de moire, je pouvais contempler à mon aise le jardin de l'hôtel où je passais la soirée. »

Barthes va tout d'abord segmenter le passage en lexies (numérotées ci-dessous de 1 à 7), puis trouver dans chacune d'entre elles l'occurrence d'un ou de plusieurs codes :

(1) *Sarrasine.*

Cette première lexie nous livre deux codes :

a) le code herméneutique : le titre est une énigme. Qu'est-ce donc que Sarrasine ? Un nom ? Une chose ? La solution de cette énigme viendra beaucoup plus loin dans le récit ;

b) le code sémique : Sarrasine connote, en

français, la féminité, sème qui pourra bien sûr apparaître de nouveau, ailleurs, dans d'autres lexies.

(2) *J'étais plongé dans une de ces rêveries profondes.*

Ici aussi, deux codes :

a) le code symbolique : la rêverie affichée ici va ensuite se développer sous forme d'antithèse (le jardin, le salon, c'est-à-dire l'extérieur et l'intérieur, le chaud et le froid, etc.) ;

b) le code proaïrétique : une action à venir est impliquée dans l'information « j'étais plongé... », quelque chose devant venir tirer le narrateur de son rêve.

(3) *Qui saisissent tout le monde, même un homme frivole, au sein des fêtes les plus tumultueuses.*

Deux codes :

a) le code sémique : connote ici la richesse, par le biais de l'information « fête » ;

b) le code gnomique : une sagesse collective s'exprime dans cette lexie, qui pourrait selon Barthes se ramener à un proverbe du type « à fêtes tumultueuses rêveries profondes ».

(4) *Minuit venait de sonner à l'horloge de l'Élysée-Bourbon.*

a) Le code sémique connote ici la richesse : Élysée-Bourbon = faubourg Saint-Honoré = quartier riche = richesse. A un second degré, cette richesse est d'ailleurs également connotée : faubourg Saint-Honoré = quartier de nouveaux riches = Paris de la restauration = spéculation sur l'or, etc.

(5) *Assis dans l'embrasure d'une fenêtre.*

a) Le code symbolique exprime ici non plus

une antithèse (cf. 2 *a*) mais son résumé qui se manifeste sous forme de frontière : la fenêtre est la limite entre le dedans et le dehors, les deux termes de l'antithèse.

(6) *Et caché sous les plis onduleux d'un rideau de moire.*

a) Le code proaïrétique manifeste ici la raison d'une action à venir : être caché (ce qui implique qu'on puisse surprendre quelque chose, ou être surpris, ou sortir de sa cachette).

(7) *Je pouvais contempler à mon aise le jardin de l'hôtel où je passais la soirée.*

a) Le code symbolique réapparaît avec le premier terme d'une antithèse, l'annonce d'une description future (je pouvais contempler = je vais décrire) ;

b) Le code sémique continue de connoter la richesse : après la fête (3 *a*) et le faubourg Saint-Honoré (4 *a*), c'est ici l'hôtel particulier.

On voit que le code est, dans *S/Z*, tout autre chose que ce qu'on entend généralement par ce terme : non pas structure ou paradigme, dont les éléments se conféreraient l'un l'autre leur valeur différentielle, mais direction potentielle de lecture, force en pointillés ou, pour garder l'expression de Barthes, Voix (ces « voix » qui président à la production du texte, qui déterminent ses lectures et qui sont les garants de sa qualité plurielle). Quant aux lexies, les quelques exemples ci-dessus montrent que leur segmentation est pour le moins intuitive : aucun critère ne vient nous montrer qu'on a eu raison de segmenter ici, et pas plus loin ou un peu avant. Mais, répétons-le, il ne s'agit pas de découper des unités à deux faces isomorphes (ce qui est le cas en phonologie par exemple) : la lexie n'est que signifiant, il lui correspond pas nécessairement une tranche minimum de signifié. Et, pour montrer l'enlacement et le cheminement des codes (les signifiés), Barthes se donne simplement les lexies qui l'arrangent. On pourra lui reprocher cet empirisme (surtout après les précautions scientifiques auxquelles *Système de la mode* et *Éléments de sémiologie* nous ont habitués), mais il faut bien voir ici deux points importants. D'une part, nous l'avons déjà dit, la seule chose qui importe à l'auteur est de montrer les signifiés qui se manifestent dans le texte, et la lexie est pour lui une commodité de recherche et d'exposé (dès lors, pourquoi ne pas les découper au mieux des convenances). D'autre part, ce n'est pas par rapport aux deux ouvrages cités ci-dessus qu'il nous faut évaluer *S/Z* (aucun des deux ne traite de littérature), mais plutôt par rapport à l'impasse relative rencontrée dans le domaine littéraire et dont témoignaient certains textes des *Essais critiques* (voir chapitre 5). Et, de ce point de vue, *S/Z* et *Sade, Fourier, Loyola* représentent un incontestable progrès, même si le statut scientifique de l'entreprise n'est pas entièrement fondé. Une fois de plus, l'œuvre est ici un passage entre un avant et un après, un avant que nous avons vu balbutiant, un après qui ne concerne pas uniquement Barthes. L'étude sur

Sade par exemple représente déjà un progrès théorique, même si certains lui reprochent de jouer trop et trop loin sur la métaphore linguistique ; ce qui compte, c'est que Barthes commence à donner une réponse à une question que la critique ne se pose au fond que bien rarement : comment parler de la littérature ? Et la réponse serait : sans en parler, mais en la ré-écrivant. Nous sommes d'ailleurs ici au cœur d'un domaine où le changement n'est plus seulement le fait de Barthes et où l'on ne saurait parler que de lui. Qu'il s'agisse de ses contemporains ou de ses disciples, l'analyse textuelle est améliorée, poursuivie par d'autres : Derrida, Kristeva, Genette... Mais il reste une spécificité barthienne, un projet barthien qui dépasse le problème du texte mais qui, appliqué aux textes, tourne autour du statut de récepteur de codes, et du plaisir de cette réception. D'un certain point de vue, la boucle est alors bouclée, de l'émission (*Le degré zéro de l'écriture*) à la réception (*S/Z*, *Sade*, *Fourier*, *Loyola*) et à la jouissance qu'on y trouve (*Le plaisir du texte*). Du texte scriptible au texte de plaisir, c'est une nouvelle définition de la littérature qui transparaît, la littérature de Barthes bien sûr, celle qu'il absorbe volontiers. Texte de plaisir, plaisir du texte. Le dernier ouvrage paru à ce jour continue, quoi qu'il en paraisse, sur la même lancée. Mais d'un autre point de vue. Comme si Barthes oscillait sans cesse entre esprit de sérieux (*Système de la mode*, *S/Z*) et esprit ludique, comme s'il tournait autour de ses objets de description, les saisissant chaque fois dans une focale différente, tour à tour tentant de les comprendre et d'en jouir. Mais, du premier texte (*Le degré zéro de l'écriture*) au dernier (*Le plaisir du texte*), de la littérature à la littérature en passant par la mode vestimentaire, l'affiche publicitaire ou le catch, il y a un continuum barthien, une continuité de regard, que nous allons tenter de caractériser dans le chapitre suivant.

9 UN REGARD POLITIQUE
SUR LE SIGNE

Pourquoi consacrer aujourd'hui un texte, si court et si cursif soit-il, à la sémiologie de Roland Barthes, ou du moins à cette quête d'une sémiologie que représente la succession de ses œuvres? Des tâches plus urgentes n'attendent-elles pas ceux qui se veulent à la fois « scientifiques » et « militants », ceux pour qui il ne saurait y avoir de coupure entre une recherche ou un enseignement et une pratique politique? En bref, qu'est-ce que la sémiologie de Roland Barthes peut bien avoir à faire avec la lutte des classes? Toutes questions que le lecteur ne se pose peut-être pas (ce qui est son droit le plus strict) mais que, se les posant, l'auteur se permettra ici de développer.

J'ai suffisamment insisté dans le premier chapitre sur l'aspect quasi nécessairement compromis des sciences humaines pour qu'il soit inutile d'y revenir. Simplement, il n'est pas très facile de savoir à quel niveau de l'élaboration théorique interviennent les déterminations idéologiques. Et d'ailleurs, qu'est-ce donc que cette idéologie dont j'ai déjà vaguement parlé dans les pages qui précèdent et dont je parlerai encore dans celles qui suivent ? Nous pourrions, pour en rester à des termes simples, tenter de la définir comme la vision subjective qu'une communauté a de sa situation objective. Ou encore, pour nous référer aux sources « sérieuses », prendre ce passage de Louis Althusser : « Il suffit de savoir très schématiquement qu'une idéologie est un système (possédant sa logique et sa rigueur propres) de représentations (images, mythes, idées ou concepts selon les cas) doué d'une existence et d'un rôle historiques au sein d'une société » (1). Ce qui importe surtout ici, c'est que ces représentations sont, toujours pour Althusser, « des objets culturels perçus-acceptés-subis » (2), c'est-à-dire qu'elles recouvrent justement le « ce-qui-va-de-soi » que Barthes a souvent désigné comme objet de sa hargne et de ses dissections. Mais ces évidences (même lorsqu'elles sont épinglées : fausses évidences) ne nous sont pas données. On voit assez bien en quoi Malherbe ou Vaugelas confortaient le pouvoir royal par leurs théories « grammaticales » mêmes, on voit aisément comment les encyclopédistes, ces « lumières » de l'Europe, préparaient par leur distinction entre *langue* et *jargon* le lit du racisme et, dans une certaine mesure, du colonialisme, on voit même comment la linguistique presque contemporaine a théorisé et entériné les

(1) Louis Althusser, *Pour Marx*, page 238.
(2) *Id.*, page 240.

rapports et les coups de force par la promulgation de faux couples théoriques comme *langue-dialecte* (1). Et cette suite de conformités entre représentation idéologique et théorie de la langue doit bien nous laisser penser qu'il en va de même aujourd'hui : Pourquoi, au nom de quelle immunité, notre linguistique échapperait-elle aux déterminations idéologiques ? Mais, percevant, acceptant et subissant nous-mêmes ces représentations, il nous est difficile de les désigner clairement comme idéologiques. L'opposition couramment reçue entre *science* et *idéologie* pourrait cependant nous installer dans un certain confort. Si « l'idéologie a précisément pour fonction, à l'encontre de la science, de dissimuler les contradictions réelles, de reconstituer, sur un plan imaginaire, un discours relativement cohérent qui serve d'horizon au « vécu » des agents, en façonnant leurs représentations sur les rapports réels et en les insérant dans l'unité des rapports d'une formation (2) », la science (et par exemple la science linguistique) ne montre-t-elle pas les contradictions réelles, n'évacue-t-elle pas l'imaginaire pour le réel ? Douce somnolence qui nous fait croire (ce que nous sommes d'ailleurs tous prêts à croire) que notre science (linguistique) pourrait développer un discours exempt de toute compromission idéologique...

C'est là le premier point sur lequel l'apport de

(1) Sur ces points, voir Louis-Jean Calvet, *Linguistique et colonialisme, petit traité de glottophagie*, à paraître.
(2) Nicos Hadjinicolaou, *Histoire de l'art et lutte des classes*, Éd. Maspéro, page 17.

Barthes est largement positif : dès *Le degré zéro de l'écriture* il insiste sur la dualité de tout phénomène linguistique ou sémiologique, à la fois dénotation et connotation, dit et non-dit. Le souci manifeste dans ce premier livre de ne pas séparer le discours de sa localisation politique, l'acte d'écrire et le choix politique, était déjà un mode de contestation des présupposés de la linguistique contemporaine. Quelques indications dans la suite de son œuvre (à propos de Brecht, de Balzac) montrent que sa préoccupation demeure : quel est le lien entre marxisme et sémantique ? Et dans son texte le plus récent, *Le plaisir du texte*, il suggère comme en passant, par parenthèse, quelques directions de travail : « Il serait bon d'imaginer une nouvelle science linguistique ; elle étudierait non plus l'origine des mots, ou étymologie, ni même leur diffusion, ou lexicologie, mais les progrès de leur solidification, leur épaississement le long du discours historique ; cette science serait sans doute subversive, manifestant bien plus que l'origine historique de la vérité : sa nature thérorique, langagière (1). » Et peut-être n'y a-t-il pas pour la linguistique (pour les sciences « humaines ») d'autre choix : compromission ou subversion, tant il est vrai que ces sciences à vocation sociale et qui refusent de se donner les moyens d'une analyse sociale de leur objet ne peuvent qu'occulter en lui l'ancrage social qui le constitue.

Cette solidification du langage, ce figement,

(1) *Le plaisir du texte*, page 69.

a été repris à Barthes par Herbert Marcuse dans un chapitre de *L'homme unidimensionnel*. Essayant de définir ce qu'il appelle « l'univers du discours clos », Marcuse, qui semble n'avoir à l'époque lu de Barthes que *Le degré zéro de l'écriture* (du moins ne cite-t-il que ce texte), va curieusement retrouver des notations qui apparaissent dans *Mythologies* ou dans les *Essais critiques*.

« Unifier des termes opposés comme le fait le style commercial et politique, c'est un des nombreux moyens qu'empruntent le discours et la communication pour se rendre imperméable à l'expression de la protestation et du refus » (1) : comment ne pas voir ici une direction de travail semblable à celle de Barthes, à celle qui se manifestait par exemple dans les *Mythologies* (« la critique ni-ni », « la grammaire africaine », etc.) ? Et si Marcuse insiste tant sur le langage, s'il y revient, comme par obligation, dans *Vers la libération* (« C'est un des droits les plus importants du Souverain que d'établir pour chaque mot la définition qui sera appliquée »), s'il est attiré (et parfois à tort) par une certaine conception orwellienne des rapports entre langue et pouvoir d'État, c'est qu'il sent dans la « communication » un lieu de résistance, de solidification de l'idéologie, en bref qu'il se trouve à peu près sur les mêmes positions intuitives que Roland Barthes. Jean-Paul Sartre a parfois eu, lui aussi, de semblables intuitions. Dans la préface qu'il écrivit pour *Les damnés de la terre* de Frantz Fanon, par exem-

(1) Herbert Marcuse, *L'homme unidimensionnel*, Éd. de Minuit, page 115.

ple : « Il n'y a pas si longtemps, la terre comptait deux milliards d'habitants, soit cinq cent millions d'hommes et un milliard cinq cent millions d'indigènes » (1). Dans tous ces cas, la langue était mise en accusation, explicitement chez Marcuse, implicitement chez Sartre qui se livrait à une critique du discours en lieu et place de ce que l'on produit généralement : une (illusoire) critique par le discours. Le mérite de Barthes, qui n'a pas influencé sensiblement ces auteurs mais se trouve plutôt dans le même courant qu'eux, est d'avoir ouvert la voie à une mise en accusation de la linguistique qui masquait ce caractère distordant du langage.

Et, là encore, *Le plaisir du texte* offre des passages suggestifs. Sous l'apparence d'un livre disséminé et dont le propos ne serait que de défense de l'hédonisme (ce qui est d'ailleurs la lecture que la critique en a généralement proposée : voir par exemple le compte rendu de B. Poirot-Delpech dans *Le Monde* du 15 février 1973 : *Le petit kamasutra de Roland Barthes*), c'est au contraire une réflexion organisée, en particulier sur le problème des lieux du langage. La langue, d'une part, est toujours d'*un* lieu, définie par exemple par son rapport au pouvoir, comme ce langage *encratique* qui se développe et s'engraisse à l'ombre du pouvoir établi, ou comme ses contraires, qu'on pourrait dire *acratiques*. Et ces divers langages dont la première caractéristique est donc l'aspect profondément *topique* se livrent une guerre sans fin,

(1) J.-P. Sartre, in F. Fanon, *Les damnés de la terre*, Éd. Maspéro, page 9.

chacun combattant pour l'hégémonie que l'un d'entre eux possède effectivement. En quelques touches, avant de rebondir vers une autre idée, une autre indication, une autre intention, Barthes suggère donc une vision langagière des conflits sociaux (car cette guerre des langues ne peut être, bien sûr, qu'une guerre que se livrent les groupes sociaux qui parlent ces langues), une façon de suivre les conflits de classes à travers leur trace linguistique.

Répétons-le, cette caractéristique topique du langage n'est prise en compte ni par les linguistiques que nous connaissons (quels que soient par ailleurs leurs choix fondamentaux et leurs postulats), ni par la pseudo-socio-linguistique qu'elles ont engendrée. Seule la « sociologie des langages » inaugurée par Jean-Pierre Faye pourrait rendre compte de cette dimension, débouchant sur une sémantique de l'histoire qui étudierait tout à la fois la façon dont l'histoire, en se racontant (en étant racontée), se *fait*, et comment, dans le champ des discours, l'on peut suivre les oppositions de groupes et de classes qui sont à la base même de l'Histoire (1). Il y a donc tout à la fois un effet de la narration sur l'action et un affleurement des grands mouvements sociaux et des conflits de classes dans le langage : « La narration est donc cette fonction fondamentale et comme primitive du langage qui, portée par la base matérielle des sociétés, non seulement touche à l'histoire mais

(1) Voir Jean-Pierre Faye, *Langages totalitaires* et *Théorie du récit*, Éditions Hermann, 1972.

effectivement l'*engendre* (1). » Certes, cette sociologie linguistique n'a pour l'instant décrit que la genèse du langage totalitaire fasciste et, pour ce faire, elle n'a pas forgé un instrument heuristique spécifique et réinvestissable : des directions de travail tout au plus. Mais l'on peut déjà voir un prolongement de la quête barthienne du signe politique, un débordement qui rend au langage son aspect opérateur, transitif. Jean-Pierre Faye n'en est peut-être pas tout à fait conscient, qui tente de se démarquer d'une « certaine idéologie pseudo-structurale qui a été très à la mode en France » (2), mais l'aspect novateur de sa thèse n'est pas étranger à une problématique que Barthes a posée depuis plus de vingt ans et qui, en filigrane, suit toute son œuvre comme un fil (rouge) directeur.

La visée de Barthes est cependant plus large : c'est du signe en général qu'il s'agit et non pas seulement du signe linguistique, de l'univers sémiologique, c'est-à-dire de notre environnement quotidien, de notre culture en tant qu'elle se transmet, à la fois objet et instrument de communication. Mais la sémiologie définie par ce champ d'intervention est sans cesse à cheval entre la récupération et la subversion.

Récupération ? Le discours sur les signes risque toujours d'être ré-utilisé par les émetteurs eux-mêmes, les groupes de pression qui président à la naissance des *logo-techniques,* ces langages coupés

(1) J.-P. Faye, *Théorie du récit,* page 107.
(2) Interview de J.-P. Faye dans *Politique-Hebdo,* n° 71.

de toute parole, que la pratique sociale n'atteint pas, dans lesquels le message ne rejaillit jamais sur le code (voir chapitre 7). Des annonces publicitaires aux campagnes électorales, de la vente des petits pois à celle des députés, les « logothètes » (ou, si l'on préfère, les sémiothètes) utilisent en effet gaillardement ce qu'ils croient pouvoir retirer de la sémiologie, au point que l'on entend plus fréquemment ou presque le terme de *connotation* dans les studios de publicité que dans les séminaires de linguistique. Schéma classique, dira-t-on, et face auquel il n'y a pas de réplique. Voire! Car la récupération est un phénomène linéaire, elle implique une course, une poursuite, c'est-à-dire au bout du compte une direction commune. *Cours camarade, le vieux monde est derrière toi*, proclamait un slogan-graffiti de Mai 68. Mais courir vers où? Et tant que le « vieux monde » nous poursuit, n'est-ce pas que nous allons sur le même chemin? Que nous avons, quoi qu'il en paraisse, le même but? En bref, la récupération n'est possible, potentielle, attendue, que face à une contestation (la précédant logiquement) qui l'affronte, c'est-à-dire qui l'attaque de front et lui oppose son double nié, son négatif photographique, son contraire. Nous avons un exemple de cette vision des choses dans l'ouvrage de Tchakotine (1) qui croyait pouvoir contrer la croix gammée hitlérienne en lui opposant les trois flèches socialistes. C'était, bien sûr, oublier que le combat se mène plus avec un fusil qu'avec

(1) Tchakotine, *Le viol des foules*, Éd. Gallimard.

un pinceau, mais c'était aussi se placer sur le même terrain que l'adversaire, lui répondre dans la même langue. Car contestation et récupération forment alors un couple complémentaire et évolutif : la contestation et son objet (ce qui est contesté) s'accordent et se répondent. Dès lors, c'est un autre point d'impact que la sémiologie doit se choisir : elle ne peut échapper à ce cycle (je critique et ma critique est immédiatement récupérée par ce que je critique) qu'en se donnant une troisième direction d'attaque : ni description, ni opposition, mais...

Subversion, donc, c'est-à-dire par exemple dissection : ne pas opposer aux signes de l'autre nos propres signes mais étaler les siens au grand jour, tripes à l'air, montrer de quoi ils sont fait. Et la démarche de Roland Barthes est de ce côté-là. Je veux dire qu'il ne s'est jamais laissé prendre au piège (pourtant largement tendu de nos jours) de ce qu'il est convenu d'appeler la « contre-culture », qu'il n'a jamais proposé de faire d'une « contre-sémiologie » un instrument révolutionnaire (hypothèse qui apparaît tout à la fois dans l'ouvrage de Tchakotine donc, dans un roman comme *1984* de Georges Orwell et même dans un film comme *Alphaville* de Godard). Simplement, il signale les signes, il tente d'indiquer sous le naturel affecté le culturel masqué, il dévoile, il démonte les rouages, il donne à voir. Et cette sémiologie (car il doit être clair que *la* sémiologie n'existe pas : il n'y a que *des* sémiologies), souvent embryonnaire mais toujours excitante (le propre du texte de Barthes n'est-il pas d'être *scriptible* ?)

s'apparente aux entreprises de destruction ou de critique idéologique (nous en avons cité certaines : Marcuse, Sartre, mais il en est d'autres, en particulier celle qui s'est développée depuis quelques années autour de l'internationale situationniste). En clair, nous sommes toujours face au langage tiraillés entre deux pôles : la lutte au plan des signifiés (problème sémantique) et la destruction des signifiants. Dans le premier cas on oppose, dans le second on dépose. Or l'opposition (c'est-à-dire parfois la destruction du sens) est un piège :

« Dès lors la destruction de l'art est condamnée aux seules formes *paradoxales* (celles qui vont, littéralement, contre la *doxa*) : les deux côtés du paradigme sont collés l'un à l'autre d'une façon finalement complice : il y a accord structural entre les formes contestantes et les formes contestées (1). »

Et Barthes poursuit : « J'entends à l'inverse par *subversion subtile* celle qui ne s'intéresse pas directement à la destruction, esquive le paradigme et cherche un *autre* terme : un troisième terme, qui ne soit pas, cependant, un terme de synthèse, mais un terme excentrique, inouï. » Bien sûr, point de recette ici, point de « Que faire ? » mais plutôt « Que ne pas faire ? ». Car ce regard politique porté sur les signes est avant tout, et ne veut être que, excitation du regard critique. Plaisir de Barthes qui fait que, l'ayant lu, nous ne regardions plus tout à fait de la même façon le monde qui nous entoure, que nous y trouvions au moins une

(1) *Le plaisir du texte*, page 87.

fonction-signe, c'est-à-dire un monde signe de lui-même, puis que nous y cherchions une déviation de cette signification.

Ce monde des signes que Barthes nous propose donc de regarder comme une production culturelle (toute sa démarche découle de cette proposition) apparaît peut-être plus clairement comme tel lorsqu'on l'aborde de façon contrastive, c'est-à dire en comparaison-opposition avec un autre système, un autre monde de signes. Et c'est un peu cette démarche que Barthes nous invite à faire dans *L'empire des signes*. Certes l'ouvrage est peut-être entaché d'un vice originel : tout tourné qu'est l'auteur vers la critique de notre empire des signes (et de l'empire que les signes ont sur nous), ne risque-t-il pas de pécher par excès d'optimisme dans sa description sémantique du Japon, de minoriser l'influence du signe nippon par opposition au nôtre, de s'inventer une sémiologie heureuse là où il n'y aurait peut-être que défaut de pénétration ? Mais là n'est pas notre problème : il importe plus de remarquer que cette promenade au jardin des signes japonais renvoie sans cesse l'auteur à nos signes : tout comme un terme d'un système ne prend de valeur que dans les oppositions qu'il entretient avec d'autres termes, notre univers sémiologique pris comme un ensemble tire sa valeur des oppositions qu'il entretient avec d'autres univers. C'est-à-dire que cette promenade à laquelle Barthes nous convie est autant une introduction au Japon qu'à la France, à l'Orient qu'à l'Occident. Certes, du plan de la ville de Tokyo à celui de la maison japonaise en passant par le graphème et le repas c'est le vide qui attire Barthes, et cette vacuité est pour lui définitoire de la sémiologie nippone : « Il n'y a rien à *saisir* » (1). Mais plus importantes sont les réflexions contrastives qui mènent à la redécouverte de ce fait fondamental que les signes à nous légués par la société et nos pères nous font nous aussi « pères et propriétaires d'une culture que précisément l'histoire transforme en nature » (2). C'est pourquoi *L'empire des signes* est pour nous le texte barthien le plus exemplaire de la démarche que tout ce petit livre a tenté de suggérer. De la chasse aux fausses évidences à l'affirmation du caractère topique de tout langage, de la quête du culturel masqué par la prétention au naturel à la réflexion sur le problème de la défense (ou de la réponse) sémiologique, c'est toute une vision politique du monde des signes qui se construit. Problème marginal ? Non car c'est justement par l'intermédiaire de ses signes que nous percevons ce monde, et notre perception s'en trouve être gauchie, orientée, guidée par l'idéologie de la classe dominante. Critiquer ce monde ou cette idéologie ? Tentative vaine tant que nous utiliserons pour ce faire les signes mêmes de ce que nous voulons critiquer. Se forger d'autres signes ? Démarche tout aussi vaine, pour deux raisons au moins. Parce qu'elle prête le flanc, comme nous l'avons déjà souligné, à une immédiate récupération, mais surtout parce qu'elle procède d'une erreur fondamentale : Marx a trop critiqué dans

(1) *L'empire des signes*, page 150.
(2) *Id.*, page 13.

L'Idéologie Allemande ceux qui élaboraient une contre-phraséologie en croyant lutter contre le monde réel alors qu'ils n'atteignaient que son ombre, pour que nous fassions encore cette erreur. Les vraies oppositions sont ailleurs et il n'y a pas, il faut nous en convaincre, de révolution sémiologique. Mais, une fois de plus, il serait tout aussi vain de vouloir porter sur notre monde un quelconque jugement sans s'interroger au préalable sur les signes qu'il nous sert et que nous sommes tentés d'utiliser. C'est là le point central de la pensée barthienne, la leçon que nous y trouvons du moins et dont il est possible de tirer profit. C'est pourquoi il n'est que justice, pour conclure, de lui laisser la parole :

« Ces faits et bien d'autres persuadent combien il est dérisoire de vouloir contester notre société sans jamais penser les limites mêmes de la langue par laquelle (rapport instrumental) nous prétendons la contester : c'est vouloir détruire le loup en se logeant confortablement dans sa gueule (1). »

(1) *Id.*, pages 16-17.

ANNEXE :
PETIT LEXIQUE BARTHIEN

La lecture du texte de Barthes est souvent rendue difficile par une floraison de termes inconnus ou inattendus dans tel ou tel usage. Phénomène caractéristique de l'auteur, et qui procède de deux tendances : la création pure et simple, l'emprunt (le détournement de sens). Dans les deux cas, il y a à l'évidence un amour de la création que Barthes a d'abord théorisée comme nécessité :

« Le concept est un élément constituant du mythe : si je veux déchiffrer des mythes, il me faut bien pouvoir nommer des concepts. Le dictionnaire m'en fournit quelques-uns : la Bonté, la Charité, la Santé, l'Humanité, etc. Mais par définition, puisque c'est le dictionnaire qui me les donne, ces concepts-là ne sont pas historiques. Or ce dont j'ai le plus souvent besoin, c'est de concepts éphémères, liés à des contingences limitées : le néologisme est ici inévitable » (*Mythologies*, p. 218).

Puis, à propos de Fourier, il en vient à se dévoiler peu à peu et à reconnaître tout à la fois le caractère ludique et érotique du néologisme (n'est-il pas un bâtard, un enfant illégitime?) :

« La parole même de Fourier est sensuelle, elle progresse dans l'effusion, l'enthousiasme, le comblement verbal, la gourmandise du mot (le néologisme est un acte érotique, ce pour quoi il soulève immanquablement la censure des cuistres) » (*Sade, Fourier, Loyola,* p. 87).

Et plus loin :

« Inutile d'insister sur le caractère raisonnable de ces délires, puisque certains sont en voie d'application (accélération de l'histoire, modification des climats par la culture ou l'urbanisation, percée des isthmes, transformation des sols, conversions des lieux désertiques en lieux cultivés, conquêtes des astres, accroissement de la longévité, développement physique des races). L'*adunaton* le plus fou (le plus résistant) n'est pas celui qui renverse les lois de la « nature », mais celui qui renverse les lois du langage. Les *impossibilia* de Fourier, ce sont ses néologismes. Il est plus facile de prévoir la subversion du « temps qu'il fait » que d'imaginer, tel Fourier, un masculin au mot « fées » et de l'écrire tout simplement : « fés » : le surgissement d'une configuration graphique insolite d'où a chu la féminité, voilà le véritable *impossible* : l'impossible ramassé du sexe et du langage : dans « *matrones et matrons* », c'est vraiment un nouvel *objet*, monstrueux, transgresseur, qui vient à l'humanité » (*id.,* p. 124).

Plus tard, dans *Le plaisir du texte,* après avoir parsemé son œuvre des néologismes variés, Barthes commente ironiquement sa manie :

« Si nous aimions les néologismes, nous pourrions définir la théorie du texte comme une *hyphologie* (*hyphos*, c'est le tissu et la toile d'araignée) » (*Le plaisir du texte*, p. 101).

En fait, les livres de Barthes sont émaillés de ces fruits du plaisir linguistique. Qu'il s'agisse de l'emprunt dévié de son sens originel (*shifter*, emprunté à Jakobson, *citar*, emprunté au vocabulaire de la tauromachie), de la reprise de mots perdus ou tombés en désuétude (*doxa*) ou encore la pure et simple création (*logothète*), l'exercice est certes savoureux, mais il fait parfois obstacle à la lecture (du moins à une certaine lecture, car un des plaisirs de lire Barthes tient peut-être à cette résistance du discours qu'engendrent les néologismes). C'est pourquoi l'on trouvera ci-dessous un petit lexique des termes barthiens les plus caractéristiques. Supposant que le lecteur a déjà une certaine culture linguistique, nous en avons exclu les termes employés ailleurs avec le même sens, pour ne conserver que les emprunts accompagnés d'un détournement de sens et les purs néologismes.

ANAGOGIQUE (*Sade, Fourier, Loyola*).

Les *Exercices spirituels* de Loyola constituent un texte à quatre niveaux (ou sont constitués de quatre textes) dont chacun définit un niveau de communication, implique un émetteur et un récepteur particulier. Au bout de cette chaîne, la divinité. Mais celle-ci peut répondre, la communication jusqu'ici interrogative (cf. *mantique*) se retournant vers l'exercitant, la divinité devenant émettrice. Ce quatrième niveau du texte (ou quatrième texte), tout de retournement, est baptisé par Barthes *Anagogique*.

ANAPHORIQUE.

1) Dans la terminologie générale, est dit *anaphorique* un segment de discours qui ne prend de sens que par référence à un autre segment : c'est le cas des pronoms personnels et démonstratifs.

2) Dans *Système de la mode*, le terme désigne les éléments qui renvoient non pas à un autre segment du discours mais à un autre discours : il s'agit du passage du vêtement écrit au vêtement-image qui lui est associé.

Ainsi : *ce* tailleur, *la* robe, *le* corsage, etc.
c

ARCHIVESTÈME (*Système de la mode, Éléments de sémiologie*).

Vestème et archivestème sont à l'évidence inspirés du vocabulaire de la phonologie : phonème et archiphonème.

L'archiphonème est le produit de la neutralisation des deux vestèmes, le vestème étant lui-même une unité de signification vestimentaire. Ainsi, la neutralisation de l'opposition *lourd/léger* donnerait l'archivestème *poids*.

« Mais ici le phénomène vestimentaire s'éloigne du modèle phonologique ; une opposition phonologique est en effet définie par une différence de marque : un terme est marqué d'un certain caractère (trait pertinent) et l'autre ne l'est pas ; la neutralisation ne se fait pas au profit du terme libre, mais au profit d'un terme générique ; or toutes les oppositions vestimentaires ne se plient pas à cette structure ; les oppositions polaires en particulier sont de structure accumulative : de *lourd* à *léger* il y a toujours « du poids » ; autrement dit, l'opposition une fois neutralisée le poids garde encore une certaine existence conceptuelle » (*Système de la mode*, p. 176).

Voir *variant, matrice.*

ARTHROLOGIE (*Éléments de sémiologie*).

L'arbitraire du signe tel qu'il découle de la conception saussurienne de la langue entraîne que toute langue est avant tout un fait de découpage, d'articulation. Ce caractère est bien entendu applicable à tout système de signes, à tout système sémiologique, ce qui conduit Barthes à imaginer une science future, l'arthrologie ou science des partages (grec *arthron*, « articulation »).

CE-QUI-VA-DE-SOI (*Mythologies, Critique et vérité*).

Le propre de l'idéologie est de toujours tenter de faire passer pour « naturel » ce qui est profondément « culturel » ou « historique », et ce masque que la nature invoquée fournit à l'histoire se traduit par l'apparence de l'évidence, du ce-qui-va-de-soi.

« Je voulais ressaisir dans l'exposition décorative de ce-qui-va-de-soi l'abus idéologique qui, à mon sens, s'y trouve caché » (*Mythologies*, p. 7). C'est donc le lieu de la distorsion idéologique que nomme ici Barthes, et la cible de son entreprise.

Le terme est repris dans *Critique et vérité* (p. 15) comme synonyme de *vraisemblable* et restera toujours présent dans l'œuvre, de façon implicite et explicite, jusqu'au *Plaisir du texte* où un concept similaire est baptisé *doxa*

CLASSES COMMUTATIVES (*Système de la mode*).

La commutation, procédure heuristique inaugurée par la phonologie de l'école de Prague, met à jour un ensemble de deux correspondances, ou plutôt deux ensembles tels que toute variation d'un élément d'un ensemble entraîne une variation d'un élément de l'autre ensemble : ce sont les classes commutatives. Dans le *Système de la mode*, Barthes propose deux couples de classes commutatives, l'une mettant en relation le vêtement et le monde (ex. : *une robe de soirée*, c'est-à-dire : vêtement = robe, monde = soirée) et l'autre mettant en relation le vêtement et la mode (ex. : *on ne porte plus les jupes longues*, c'est-à-dire vêtement = jupe longue, mode = démodé).

CODE.

1) Le terme apparaît dans *Éléments de sémiologie* avec son sens habituel, c'est-à-dire opposé à *message*. Sur la lancée de Martinet, le couple *code/message* est assimilé dans ce texte au couple *langue/parole*.

166

2) Dans le reste de la littérature barthienne, le terme désigne le plus souvent des systèmes coexistant avec d'autres systèmes. Ainsi, dans *Système de la mode*, l'auteur dégage le *code réel* (le vêtement), le *code parlé* (Système terminologique), etc. De même, dans *S/Z*, cinq codes sont proposés qui s'enlacent et constituent le pluriel du texte de Balzac.

3) Dans *Sade, Fourier, Loyola* cependant apparaît un code qui ne coexiste pas avec d'autres codes : le *code érotique* sadien.

Voir *système*.

CONCEPT (*Mythologies*).

Après avoir défini, en s'inspirant de Hjelmslev, le processus de la connotation, Barthes est gêné par le fait que les termes *signifiant, signifié* et *signe* s'appliquent aux deux niveaux (connotation et dénotation). Aussi redéfinit-il ses termes et baptise-t-il *concept* le signifié du signe de connotation.

Voir *sens, forme, signification*.

DÉICTIQUE.

1) Dans la terminologie traditionnelle, est dit déictique tout terme qui renvoie à la situation dans laquelle l'énoncé est émis (lieu, temps, personne...).

2) Dans *Système de la mode*, le terme déictique sert métaphoriquement pour expliciter le statut du variant de grandeur (p. 143-144).

3) Dans *L'empire des signes*, la métaphore est encore plus hardie : les baguettes qui servent à manger au Japon ont une « fonction déictique » (p. 27).

DOXA (*Le plaisir du texte*).

Le terme est repris au sens étymologique (grec *doxa* = « opinion commune ») : « Chaque parler... combat pour l'hégémonie, s'il a le pouvoir pour lui, il s'étend partout dans le courant et le quotidien de la vie sociale, il devient *doxa*, nature » (p. 47).

Le terme désigne en fait une vieille cible de l'œuvre de Barthes : le sens commun, les fausses évidences, c'est-à-dire les masques de l'idéologie.

Voir *ce-qui-va-de-soi*, *vraisemblable*.

ÉCRITURE.

1) Entre la langue et le style, deux dimensions par rapport à quoi l'écrivain ne dispose d'aucun choix, l'*écriture* est le lieu de liberté. C'est donc en même temps le lieu d'engagement : « l'écriture est un acte de solidarité historique » (*Degré zéro de l'écriture*, p. 17).

2) Dans les *Éléments de sémiologie* Barthes, faisant référence au *Degré zéro*, propose de considérer l'écriture comme un idiolecte : « L'idiolecte correspondrait alors à peu près à ce qu'on a tenté de décrire ailleurs sous le nom d'*écriture* » (p. 93).

ÉCRIVAIN-ÉCRIVANT (*Essais critiques*).

Ce couple oppositif donne son titre à un texte des *Essais critiques* : « Écrivains et écrivants ».

L'*écrivain* est celui pour qui l'acte d'écrire est intransitif, tandis que l'écriture de l'*écrivant* est transitive, elle a un but, une fin. « L'écrivain accomplit une fonction, l'écrivant une activité » (p. 148).

EMBRAYEUR.
Voir *shifter*.

ENCRATIQUE (*Le plaisir du texte*).

Dans la guerre des langues qui est, pour Barthes, une des caractéristiques de la société, le langage encratique est celui qui se développe et qui vit à l'ombre du pouvoir, à l'abri de la puissance installée.

ÉPISODE.
Voir *opération*.

FIGURE.
Voir *opération*.

FONCTION-SIGNE (*Éléments de sémiologie*).

La sémiologie étudie le plus souvent des ensembles d'objets utilitaires qui, outre leur usage propre, sont pris comme signes (signe de leur usage, d'abord, puis signe d'autre chose). Barthes baptise *fonction-signes* ces objets « dérivés par la société à des fins de signification » (p. 113). Le vêtement, la nourriture, le mobilier, sont des exemples de fonction-signes : ils servent à quelque chose (vêtir, nourrir, etc.), mais signifient en outre. On comprend qu'une entreprise comme celle du *Système de la mode* consiste donc à étudier un système de fonctions-signes.

FORME.

1) C'est pour Barthes, dans *Mythologies*, le signifiant du signe de connotation, c'est-à-dire la face formelle du signe de dénotation (ou sens).

Voir *concept*.

2) Dans les *Éléments de sémiologie*, Barthes emploie le terme au sens où le prend Louis Hjelmslev, dans son opposition avec la substance : la forme (du contenu ou de l'expression) est alors ce que décrit le sémiologue.

GNOMIQUE (*S/Z*).

Le code gnomique exprime sous forme de proverbe un élément du sens commun, une « sagesse ». C'est la « voix de la science », mais aussi peut-être l'irruption du ce-qui-va-de-soi dans la littérature.

Voir *herméneutique, proaïrétique*.

HERMÉNEUTIQUE (*S/Z*).

Le code herméneutique est constitué par la suite d'unités qui posent une énigme et concourent

à sa solution : c'est donc la « voix de la vérité ».
Voir *gnomique, proaïrétique*.

Hɴʏᴘʜᴏʟᴏɢɪᴇ (*Le plaisir du texte*).

Bâti sur le mot *hyphos* (toile d'araignée), le terme se propose de désigner la théorie du texte, puisque le texte est un tissu, une toile d'araignée, « un entrelacs perpétuel » (p. 101).

Isᴏʟᴏɢɪᴇ (*Éléments de sémiologie*).

L'isologie est pour Barthes le phénomène qui fait que les signifiants et les signifiés d'un système de signes sont indissociablement liés. On dira ainsi que la langue est un système isologue.

A l'inverse, les systèmes dans lesquels le signifié est juxtaposé au signifiant par l'intermédiaire d'un troisième terme (le plus souvent la langue qui prend en charge l'objet) sont des systèmes non-isologues. Il en découle : 1) que la sémiologie étudie le plus souvent des systèmes non-isologues ; 2) que dans ces systèmes les rapports entre linguistique et sémiologie soient reconsidérés (voir *translinguistique*).

Lᴀɴɢᴜᴇ.

1) Dans *Le degré zéro de l'écriture*, le terme a grosso modo le sens de norme comme l'entendent généralement les linguistes : « Un corps de prescriptions et d'habitudes, commun à tous les écrivains d'une époque » (p. 13).

2) Dans *Mythologies*, après quelques flottements terminologiques, la langue est définie par opposition au *mythe* comme *langue* de dénotation (le mythe étant une langue de connotation. Cf. *Mythologies*, p. 222).

3) Dans les *Éléments de sémiologie*, *langue* est pris au sens saussurien, par opposition à *parole* : « La langue c'est donc, si l'on veut, le langage moins la parole » (p. 85).

LEXIE (*S/Z*).

Le lexie est l'unité de « lecture », fruit du découpage du texte en segments minima. Elle est le support des signifiés, c'est-à-dire de l'enlacement de cinq codes qui assurent le pluriel du texte. Pour ces codes, voir *herméneutique, gnomique, proaïrétique.*

LISIBLE (*S/Z*).

L'ensemble des textes, précédemment divisés selon des catégories concernant leur scripteur (écrivain ou écrivant), est dans *S/Z* divisé selon le mode de consommation que chacun des textes implique. Est donc dit *scriptible* tout texte qui peut être ré-écrit, c'est-à-dire qui fait du lecteur un producteur de texte. Est dit au contraire *lisible* ce qui peut être lu mais non ré-écrit (*S/Z*, p. 10).

LOGO-TECHNIQUE.

L'origine d'un système de signes, la localisation du lieu d'où il est émis, a toujours été au centre des préoccupations de Barthes. Ceci amène les systèmes en deux grands ensembles :

— Les systèmes où langue et parole s'auto-déterminent, c'est-à-dire où la langue est en partie déterminée par la masse parlante (c'est le cas du langage humain articulé).

— Les systèmes élaborés par des groupes de décision qui fixent la langue, les logo-techniques (exemple : la mode).

« Il s'agit en somme de langages fabriqués, de logo-techniques ; l'usager suit ces langages, prélève en eux des messages... mais ne participe pas à leur élaboration » (*Éléments de sémiologie*, p. 103).

LOGOTHÈTE (*Sade, Fourier, Loyola*).

« Le livre des logothètes, des fondateurs de langues » reçoit ici les trois auteurs que le titre précise, mais il en va de même pour le Balzac de *S/Z*, pour Michelet, Racine : l'écrivain de Barthes est toujours celui qui crée une langue, un logothète, mais qui permet aussi, au creux de cette langue, une co-existence entre l'émetteur (l'écrivain) et le récepteur (le lecteur) : c'est cette forme de communication qui deviendra plus tard le plaisir du texte.

Voir *lisible, écrivain-écrivant.*

MANTIQUE.

La mantique, c'est l'art de la divination. Barthes reprend le terme à propos des *Exercices spirituels* de Loyola :

« La langue que veut constituer Ignace est une langue de l'interrogation. Alors que dans les idiomes naturels, la structure élémentaire de la phrase, articulée en sujet et prédicat, est d'ordre assertif, l'articulation courante est ici celle d'une question et d'une réponse » (*Sade, Fourier, Loyola*, p. 51). La mantique est donc ici cette structure interrogative dirigée vers la divinité et incitant sa réponse.

Voir *anagogique*.

MATRICE (*Système de la mode*).

La matrice est l'unité signifiante du système de la mode ou système vestimentaire. Elle se compose de trois éléments : l'Objet, le Support de la signification et le Variant (ou vestème), et s'écrit donc : O. S. V.

Ainsi, *un chandail à col fermé* représente une matrice dans laquelle le chandail est l'objet, le col le support et fermé le variant (par opposition à ouvert).

Pour un concept similaire mais appliqué à un autre corpus, voir *lexie*.

MUSHOTOKU (*Plaisir du texte*).

Terme du bouddhisme zen que Barthes reprend pour qualifier le statut de l'écrivain : « Lui-même est hors de l'échange, plongé dans le non-profit, le *mushotoku* » (p. 57).

MYTHE (*Mythologie*s).

Terme étroitement lié à un moment de l'œuvre de Barthes, le mythe est successivement défini comme une parole (p. 215), un message (216), un système sémiologique (217) et une langue de connotation (222), avec les contradictions que ces usages révèlent.

Le véritable problème est que Barthes est alors incapable de théoriser la structure (il empruntera plus tard à Saussure l'indispensable notion de *valeur*) et ne peut envisager que des signes sans système. D'où le flottement terminologique qui traduit en fait une difficulté théorique levée plus tard.

OBJET.

Voir *matrice*.

OPÉRATION (*Sade, Fourier, Loyola*).

Dans la grammaire sadienne, l'*opération* est une unité de première articulation : elle est composée d'unités plus petites, minimales, les *postures*.

Les postures constituant l'opération peuvent ou se suivre ou se juxtaposer, formant des unités dont le caractère est alors diachronique (l'*épisode*) ou synchronique (la *figure*).

« L'opération demande plusieurs acteurs (c'est du moins le cas le plus fréquent). Lorsqu'elle est saisie comme un tableau, un ensemble simultané de postures, on l'appelle une *figure* ; lorsqu'au contraire on voit en elle une unité diachronique, se développant dans le temps par succession de postures, on l'appelle un *épisode* » (p. 34).

Épisode et figure sont donc les deux cas d'espèce de l'opération.

POSTURE (*Sade, Fourier, Loyola*).

Dans la grammaire sadienne (le code érotique), la *posture* est la plus petite unité : « elle ne réunit qu'une action et son point corporel d'application » (p. 33). Le nombre des postures est limité, elles forment un inventaire fermé. Mais leur combinaison constitue des unités de rang supérieur en nombre infini (inventaire ouvert) : les *opérations*.

PROAÏRÉTIQUE (*S/Z*).

Terme emprunté à Aristote, avec ici le sens de « code des actions » : ce qui se passe dans le texte. C'est, toujours pour Barthes, la « voix de l'empirie ».

Voir *gnomique, herméneutique*.

SCÈNE (*Sade, Fourier, Loyola*).

La scène (ou séance) est la phrase de la grammaire sadienne : une concaténation d'opérations, unités de première articulation.

SCRIPTIBLE.

Voir *lisible*.

SÉANCE.
Voir *scène*.

SENS (*Mythologies*).
C'est, dans le processus de connotation, le signe de dénotation à partir duquel se développe le système parasite.
Voir *concept*.

SHIFTER (*Système de la mode*).
Le shifter était pour Jakobson une unité de code qui renvoie au message. Barthes emprunte le terme avec un sens différent : il désigne les translateurs qui permettent de passer d'un code à un autre, du vêtement écrit au vêtement porté par exemple.
Le terme (que Barthes conserve sous sa forme anglaise) est généralement traduit en français par *embrayeur*.

SIGNIFICATION (*Mythologies*).
C'est pour Barthes le signe de connotation.
Voir *concept*.

SIMULACRE.
Dans un texte des *Essais critiques*, « L'activité structuraliste », Barthes définit le travail de description structurale comme un simulacre : simu-

lacre d'un objet que l'on segmente, que l'on découpe pour ensuite le recomposer. « La structure est donc en fait un *simulacre* de l'objet, mais un simulacre dirigé, intéressé, puisque l'objet imité fait apparaître quelque chose qui restait invisible, ou si l'on préfère, inintelligible dans l'objet naturel » (p. 214).

STYLE (*Degré zéro de l'écriture*).

Le style est la part personnelle de l'écrivain : « Des images, un débit, un lexique naissent du corps et du passé de l'écrivain et deviennent peu à peu les automatismes mêmes de son art » (p. 14). C'est dire que, comme la langue (la norme), le style n'est pas choisi : c'est un imposé.

Voir *écriture, langue.*

SUPPORT.

Voir *matrice.*

SYSTÈME.

1) Dans *Éléments de sémiologie*, le terme *système* a strictement le sens de *paradigme* (il est partout opposé à *syntagme*), c'est-à-dire ensemble d'unités commutables en un point donné d'un syntagme, ce qui n'est ni l'usage courant en linguistique, ni l'usage saussurien, pourtant flottant.

2) Parallèlement, Barthes a tendance à prendre le terme avec le sens de *code*. Dans *Système de la mode*, les deux termes alternent même : le *système*

terminologique équivaut au *code vestimentaire écrit* (p. 46-47).

Théâtralité.

Définie dans *Essais critiques* à propos du théâtre de Baudelaire comme « le théâtre moins le texte » (p. 41).

Plus que le sens du terme, c'est son mode de création qui nous retiendra ici. Théorisé dès les *Mythologies*, cette règle proportionnelle fonctionne sur le modèle suivant :

$$\frac{\text{latin}}{\text{latinité}} = \frac{\text{basque}}{x} \qquad \text{d'où } x = \text{basquité,}$$

et permettait alors de créer *sinité* (p. 228).

Le procédé sera par la suite un des modes de formation de néologismes préférés de Barthes, qui a en outre pour lui d'être plus clair que le retour aux sources grecques. Cf. par exemple : *naturalité, bouddhéité* (*Empire des signes*), *sélénité, pensivité* (*S/Z*), etc.

Tmèse (*Le plaisir du texte*).

La tmèse est, dans le vocabulaire grammatical, la séparation d'un élément en deux par introduction d'un autre élément : ainsi *même* dans *lors même que*.

Dans *Le plaisir du texte*, Barthes emploie le terme en un sens un peu différent : la *tmèse* c'est le saut, la lecture rapide qui brûle des passages, la faille qui en découle, c'est aussi « la source de plaisir » (p. 21).

TOPIQUE.

Barthes évolue entre les deux sens possibles du terme, le sens philosophique (argument général s'appliquant à tous les cas semblables) dans *Sade, Fourier, Loyola* et le sens plus strictement étymologique (lié à un lieu) dans *Le plaisir du texte*.

— « Forme préexistante à toute invention, la topique est une grille, une tablature de cases à travers laquelle on promène le sujet à traiter » (*Sade, Fourier, Loyola*, p. 63).

— « Une impitoyable topique règle la vie du langage ; le langage vient toujours de quelque lieu, il est *topos* guerrier » (*Plaisir du texte*, p. 47).

TRANSLINGUISTIQUE.

Science postulée dans les *Éléments de sémiologie* (p. 81), qui engloberait la sémiologie et l'actuelle linguistique. Le postulat découle bien sûr du renversement de la proposition saussurienne pour qui la sémiologie englobait la linguistique :

« La linguistique n'est pas une partie, même privilégiée, de la science générale des signes, c'est la sémiologie qui est une partie de la linguistique » (p. 81).

VARIANT.

Voir *matrice, archivestème*.

VESTÈME.

Voir *matrice, archivestème*.

VRAISEMBLABLE (*Critique et vérité*).

Le terme, invoqué à propos de la critique, dénote le sens commun, cet apparat naturel que l'idéologie confère au culturel : « Aristote a établi la technique de la parole feinte sur l'existence d'un certain *vraisemblable*, déposé dans l'esprit des hommes par la tradition, les Sages, la majorité, l'opinion courante, etc. Le vraisemblable, c'est ce qui, dans une œuvre ou un discours, ne contredit aucune de ces autorités » (p. 14).

On voit que nous sommes encore au centre d'une problématique qui définit pratiquement toute la démarche de Barthes : la quête des fausses évidences. Voir *ce-qui-va-de-soi*, *doxa*.

INDEX DES NOMS CITÉS

PETITE BIBLIOTHÈQUE PAYOT

Cette collection vous propose :

dans un format de poche
à un prix modique
dans une présentation soignée
et en édition intégrale

une bibliothèque moderne qui vous fera faire le tour des connaissances humaines :

Histoire
Philosophie
Religion
Psychologie
Sociologie
Sciences
Arts
etc.

ÉDITIONS PAYOT, PARIS
106, boulevard Saint-Germain, Paris 6e

HISTOIRE DE L'ART PAYOT

en 20 volumes de poche illustrés

Les arts de tous les temps
les musées de tous les pays
mis à la portée de chacun

Cette **Histoire de l'Art** comprend 20 volumes :

Cette collection offre aux lecteurs

3 200 pages de texte
160 planches en couleurs
1 200 reproductions en noir et blanc
600 figures au trait

Chaque volume comportant environ 160 pages de texte,
8 planches en couleurs, 48 planches en noir et blanc
et de nombreuses figures au trait.

Si vous appréciez les volumes de cette collection et si vous désirez être tenu au courant des publications des ÉDITIONS PAYOT, PARIS, découpez ce bulletin et adressez-le à :

ÉDITIONS PAYOT, PARIS
106, Bd Saint-Germain
Paris 6°

NOM ....

PRÉNOM ....

PROFESSION ....

ADRESSE ....

....

Je m'intéresse aux disciplines suivantes :

ACTUALITÉ, MONDE MODERNE ☐
ARTS ET LITTÉRATURE ☐
ETHNOGRAPHIE, CIVILISATIONS ☐
HISTOIRE ET GÉOGRAPHIE ☐
PHILOSOPHIE, RELIGION ☐
PSYCHOLOGIE, PSYCHANALYSE ☐
SCIENCES (Naturelles, Physiques) ☐
SOCIOLOGIE, DROIT, ÉCONOMIE ☐

(Marquer d'une croix les carrés correspondant aux matières qui vous intéressent.)

Suggestions :

....

....

....

A découper ici

225

ACHEVÉ D'IMPRIMER LE
1er SEPTEMBRE 1973 SUR LES
PRESSES DE L'IMPRIMERIE
BUSSIÈRE, SAINT-AMAND (CHER)

— Nº d'impression : 770 —
Dépôt légal : 3e trimestre 1973.
Imprimé en France